Guide d'élaboration
d'un projet de recherche

GORDON MACE ET FRANÇOIS PÉTRY

Guide d'élaboration d'un projet de recherche

3e édition, revue et augmentée

**Presses de
l'Université Laval**

Les Presses de l'Université Laval reçoivent chaque année du Conseil des Arts du Canada et de la Société de développement des entreprises culturelles du Québec une aide financière pour l'ensemble de leur programme de publication.

Nous reconnaissons l'aide financière du gouvernement du Canada par l'entremise du Fonds du livre du Canada pour nos activités d'édition.

Maquette de couverture : Laurie Patry
Mise en pages : Diane Trottier

ISBN 978-2-7637-3180-3
PDF 9782763731810

Les Presses de l'Université Laval
www.pulaval.com

À tous ceux et celles qui ont le goût
de l'effort et du travail bien fait.

Table des matières

Remerciements

Aucun livre n'est l'œuvre d'une seule personne. Il est toujours le résultat d'influences diverses et, très souvent, d'appuis tangibles à divers moments de sa réalisation. Gordon Mace tient à remercier particulièrement Jean Crête, directeur de son département à l'époque, dont l'encouragement constant et l'appui tangible ont grandement contribué à la réalisation de ce projet sous la forme d'une première édition du *Guide*.

Nous tenons également à remercier nos collègues Marc-André Bodet, le regretté Vincent Lemieux, Jean Mercier et Louise Quesnel qui ont lu et commenté différentes versions du manuel. Merci aussi à nos étudiants des trois cycles de science politique ainsi qu'aux lecteurs et lectrices dont les commentaires judicieux, au fil des années, ont permis d'améliorer l'ouvrage.

Nous désirons enfin exprimer notre gratitude aux personnes qui ont contribué à la réalisation concrète des différentes éditions du *Guide*. Merci à Claude Arsenault et Dany Deschênes pour leur travail de recherche ainsi qu'à Lisette Laforest et Danielle Gingras pour la préparation des éditions antérieures. Merci à François Miller du défunt Service des ressources pédagogiques pour ses nombreuses suggestions. Merci au personnel des Presses de l'Université Laval, en particulier Jacques Chouinard, responsable des deux premières éditions du *Guide*, ainsi que notre éditeur actuel André Baril pour leur grande efficacité et leur souci du détail. Merci enfin à Diane Trottier pour son excellent travail de mise en page. Naturellement, nous sommes seuls responsables des erreurs et insuffisances du contenu de ce manuel.

Gordon Mace et François Pétry

Avant-propos
de la troisième édition

La première édition de ce manuel date de 1988. Depuis lors, le livre s'est vendu à près de 20 000 exemplaires. Utilisée comme ouvrage de référence dans plusieurs cours de méthodologie universitaires et pré-universitaires, cette première édition répondait manifestement à un besoin des étudiants: avoir un manuel présentant les différentes étapes du processus de recherche, à la fois simple et complet, qu'ils puissent consulter facilement pour la préparation et la réalisation de leurs travaux de recherche. Ce type d'ouvrage n'existait pas alors dans le monde francophone.

Depuis la parution de la deuxième édition, en 2000, le *Guide* continue de rejoindre un large lectorat malgré l'apparition de nombreux ouvrages de méthodologie qui abordent la matière sous divers angles. Il est surprenant de constater encore aujourd'hui que peu de manuels traitent de l'ensemble des étapes du processus de recherche de façon succincte et abordable. Plus de quinze ans après la parution de la deuxième édition, ce manuel demeure par conséquent un outil extrêmement utile pour ceux et celles qui ont à produire des travaux scientifiques de différentes natures. Le temps est toutefois venu d'en revoir le contenu afin d'en ajuster le langage et de tenir compte des développements survenus dans la pratique scientifique en sciences sociales et en sciences humaines.

Au fil des années, de nombreuses personnes ont eu l'amabilité de nous faire part de commentaires concernant l'un ou l'autre aspect abordé dans ce manuel. D'autres ont eu la gentillesse de nous témoigner leur reconnaissance pour ce que le *Guide* leur a apporté. Nous les en remercions vivement. Plusieurs de ces commentaires nous ont amenés à nous interroger sur le public cible de l'ouvrage, constitué à l'origine des étudiants du premier cycle universitaire en sciences sociales. Au fil des années, nous avons constaté que les étudiants des deuxième et troisième cycles apprécient particulièrement ce manuel. D'où notre volonté de dire plus sur la théorie dans cette troisième édition de telle façon que l'ouvrage soit davantage utile pour la réalisation des travaux de maîtrise ainsi que pour les thèses de doctorat, tout en demeurant parfaitement accessible pour les autres cycles universitaires et pré-universitaires.

Nous avons également constaté que le manuel est utilisé dans de nombreux programmes en sciences sociales et en sciences humaines. C'est la raison principale pour laquelle nous avons refait les illustrations de manière à cibler un large éventail de programmes allant au-delà de la science politique.

Cette troisième édition prolonge les éditions précédentes, mais elle s'en différencie aussi à plusieurs égards. Nous avons ainsi revu l'ensemble du contenu pour ajuster parfois le vocabulaire et, d'autres fois, réécrire en entier certaines sections. Nous avons également mis à jour les lectures recommandées, refait les illustrations et ajouté des définitions. Enfin, nous avons modifié substantiellement le contenu de certaines étapes à la suite des commentaires reçus et de l'évolution de la pratique méthodologique. Nous avons fait une plus grande place à la théorie à l'étape de formulation du problème de recherche ainsi qu'au moment de poser l'hypothèse. Nous avons aussi réécrit en entier le chapitre sur la stratégie de vérification et partiellement ceux sur la collecte de l'information et le traitement des données. Enfin, la conclusion développe davantage les considérations éthiques liées de la recherche.

L'avant-propos nous fournit aussi l'occasion de parler du positionnement épistémologique de ce manuel. Étant donné son importance, le sujet aurait mérité un chapitre à lui seul, n'eût été de la finalité de cet ouvrage qui est d'offrir un guide pratique succinct. Il convient donc d'être bref, mais de fournir quand même les précisions qui s'imposent.

Il n'y a pas d'accord des esprits sur les grands courants épistémologiques qui encadrent la démarche de recherche en sciences sociales. Un consensus existe toutefois quant à l'existence de deux grandes traditions de pratique scientifique qui ont succédé au positivisme du Cercle de Vienne. Le néopositivisme postule essentiellement une séparation entre le chercheur et son objet d'étude ainsi que la possibilité d'évaluer le bien-fondé des interprétations théoriques de la réalité au moyen de l'observation empirique de cette même réalité. Le néopositivisme cherche à *expliquer* les phénomènes en utilisant pour ce faire le modèle hypothético-déductif élaboré par le philosophe des sciences Karl Popper. Ce modèle, valable tout autant pour des études qualitatives que pour des études quantitatives, amène le chercheur à construire des interprétations de la réalité (des théories) et à valider ces interprétations au moyen de l'observation de la réalité empirique.

La méthode interprétative, que certains associent étroitement à l'herméneutique, remet en question les grands fondements du néopositivisme. Elle place au centre de sa pratique la contextualité et la réflexivité. La première suppose une osmose entre le chercheur et la réalité qui l'entoure tandis que la seconde postule que c'est le chercheur qui donne son sens à la réalité qui ne peut donc jamais être objective. On cherche ici à *comprendre* les phénomènes en les situant dans la réalité qui est la leur. C'est le contexte du phénomène qui donne son sens à l'explication plutôt qu'une théorie élaborée préalablement de «l'extérieur» de l'objet d'étude.

Même si les deux grandes traditions épistémologiques s'accordent sur l'importance de la question de recherche et de la théorie au sein de la démarche scientifique, elles n'en ont pas moins des divergences profondes concernant la logique de la recherche, la construction des concepts, la contextualité et la causalité. Ces différences ont un impact tellement puissant sur le processus de recherche qu'aucune osmose ne paraît possible entre les deux approches tant leurs visions ontologiques et épistémologiques s'opposent.

Il faut donc choisir de s'insérer à l'intérieur de l'une ou l'autre tradition et le *Guide* s'inscrit manifestement dans le courant néopositiviste. Ce choix n'implique aucun jugement de valeur quant au bien-fondé de l'un ou l'autre des grands courants épistémologiques. Chaque approche est légitime et doit être évaluée en fonction de ses caractéristiques propres. Ce manuel sera donc utile non seulement aux adeptes du néopositivisme, mais aussi aux personnes utilisant la méthode interprétative dans la mesure où ces dernières pratiquent également une démarche scientifique et où certaines parentés existent entre les deux grandes traditions.

La démarche scientifique est un mode de génération de connaissance différent d'autres façons de connaître comme les arts ou la religion par exemple. Elle se distingue du jugement normatif et de ce que Bachelard appelait le sens commun. Elle est un exercice systématique de recherche dont le but est de produire une connaissance factuelle. Ce type de démarche suppose minimalement le respect de deux règles de base. La *transparence* d'abord, qui implique que le chercheur doive fournir au lecteur toute l'information nécessaire concernant chaque étape de sa recherche de telle sorte que ce dernier puisse évaluer la validité de la démarche suivie. À la différence du journaliste, le chercheur ne peut pas «protéger» ou cacher ses sources. Tout résultat de recherche doit pouvoir faire l'objet d'une critique publique.

La seconde règle de base est celle du *raisonnement systématique* qui vise à assurer la validité interne du processus de recherche. Cela implique de veiller constamment au lien logique entre le questionnement de départ, les faits observés, la démonstration et les conclusions auxquelles arrive le chercheur. Ces deux règles n'assurent pas toujours qu'un autre chercheur puisse reproduire exactement toutes les étapes d'une recherche en sciences sociales et humaines. Elles permettent à tout le moins d'en vérifier la validité.

Peu importe le courant épistémologique privilégié, la recherche scientifique suppose un travail systématique et rigoureux de génération de connaissances. L'objectif du *Guide* est d'apporter une contribution en ce sens. Il profitera également au chercheur débutant et à ceux qui possèdent déjà une certaine expérience en recherche.

Gordon Mace et François Pétry

Introduction

QU'EST-CE QU'UN PROJET DE RECHERCHE ?

Les auteurs d'ouvrages de méthodologie utilisent différentes expressions pour qualifier ce que l'on appelle un projet de recherche; ils parleront par exemple de devis de recherche, de cadre d'analyse, de méthodologie de la recherche ou encore de démarche méthodologique. Le terme qui revient généralement en anglais est *research design* qu'on emploie le plus souvent comme équivalent du devis de recherche mais qu'on associe, à l'occasion, à l'ensemble du plan de recherche. Cette confusion terminologique pose problème puisque certaines expressions font référence à l'ensemble du processus de recherche et d'autres à une étape spécifique de la recherche. L'expression « projet de recherche » semble plus appropriée, car le mot « projet » indique clairement qu'il ne s'agit pas de la réalisation ou de l'actualisation de la recherche, mais plutôt de ce que l'on veut entreprendre comme recherche et de la méthode qu'on utilisera pour ce faire; ce sont en fait les étapes préliminaires de la recherche au cours desquelles seront tracés les paramètres de l'étude.

> *Un* projet de recherche *est l'étape préliminaire de la recherche au cours de laquelle il faut établir les limites de l'objet d'étude et préciser la manière de réaliser chacune des étapes du processus.*

Bien que l'idée de plan soit apparentée à celle du projet de recherche, il faut bien voir que ce dernier ne consiste aucunement en un plan de travail et encore moins en une table des matières;

il est beaucoup plus explicite qu'un plan de travail, car on y justifie et commente systématiquement les choix méthodologiques effectués à chaque étape du processus. Le projet de recherche est donc un document écrit pouvant comporter, selon le cas, de 10 à 50 pages.

QUEL TYPE DE RECHERCHE SE PRÊTE À LA RÉDACTION D'UN PROJET ?

Tout type de recherche en sciences sociales et humaines donnera de meilleurs résultats si elle a fait l'objet au préalable d'un projet de recherche. Le contenu du projet variera naturellement en fonction de la discipline ou de l'objet d'étude. On construira le projet de recherche différemment selon qu'il s'agisse de la science politique, du droit, de l'histoire ou de la gestion (*management*). On procédera aussi de façon différente selon qu'on privilégie le néopositivisme ou la méthode interprétative. Enfin, le contenu du projet de recherche variera en fonction de l'objet d'étude selon qu'on veuille faire une grande enquête sur le vieillissement de la population, une analyse sur la prise de décision ou encore une étude ethnographique sur une petite communauté paysanne.

Dans tous les cas, cependant, l'étude parviendra davantage à convaincre si on l'a préparée soigneusement à l'aide d'un projet de recherche. Car le projet n'est pas seulement un exercice de structuration de la recherche, il est aussi un exercice de structuration de la pensée à propos de la recherche. L'exercice intellectuel qu'il suppose n'est pas seulement utile pour la réalisation de travaux universitaires, mais il prépare aussi à un marché du travail de plus en plus complexe et inondé d'informations. Dans un tel environnement, les personnes qui réussiront seront celles qui auront acquis une autonomie intellectuelle suffisante pour évaluer correctement l'information disponible et prendre les décisions appropriées.

Le projet de recherche aide à structurer la pensée en amenant le chercheur à répondre à trois questions de base relatives à l'objet d'étude : (1) Quel est le problème de recherche ? (2) Qu'est-ce que je veux démontrer au sujet de ce problème ? (3) Comment procéder pour le démontrer ? La réponse à la première question établit la rupture avec le sens commun, avec les impressions que l'on avait à propos de notre objet d'étude. La réponse à la deuxième question mène à la conceptualisation, à la construction de l'explication. Enfin, la réponse à la troisième question oriente la vérification en traçant les limites de la démonstration. L'ensemble de ces réponses illustre à quel point le projet de recherche constitue un véritable moment de création à l'intérieur du processus de recherche.

Le projet de recherche nous oblige, avant même d'entreprendre la recherche, à réfléchir à chacune des étapes du travail à venir, à prévoir les difficultés éventuelles, et à envisager des solutions possibles. Un projet de recherche bien conçu oblige à faire des choix et à justifier ces choix. De cette façon, le projet de recherche, tel qu'il est présenté dans le *Guide*, favorise le respect des règles de base de la démarche scientifique que sont la transparence et le raisonnement systématique.

Toute recherche universitaire en sciences humaines est une expression de la démarche scientifique. En ce sens, un projet de recherche bien construit est un investissement profitable, peu importe la nature de l'objet d'étude et le type de recherche à réaliser. Peu importe aussi que l'on doive produire un travail de fin de session ou une thèse de doctorat.

POURQUOI RÉDIGER UN PROJET DE RECHERCHE ?

Le projet de recherche est un instrument de travail qui permet de préciser les étapes d'un travail de recherche à réaliser ; c'est donc un précieux instrument d'organisation de la pensée qui aide à structurer logiquement l'objet d'étude et à effectuer une analyse plus efficace. Ce travail préparatoire est nécessaire pour ne pas s'égarer dans l'analyse et présenter une démonstration confuse ou incomplète qui réduirait d'autant la portée explicative du travail.

Tentons d'illustrer l'importance du projet de recherche au moyen d'un exemple. Ainsi, quand un gouvernement, une entreprise ou un individu confie un mandat à un architecte, celui-ci ne se met pas au travail immédiatement pour dessiner ses plans. Il doit d'abord s'assurer d'avoir bien compris les exigences du client, puis analyser les caractéristiques du quartier où l'édifice sera érigé afin de connaître l'architecture des bâtiments voisins et, éventuellement, la vocation du quartier. Il doit également étudier méticuleusement les fonctions dévolues à la nouvelle structure et consulter les plans d'édifices similaires construits ailleurs dans le monde. Ce n'est qu'après ce travail préparatoire pouvant s'échelonner sur plusieurs semaines ou plusieurs mois qu'il sera en mesure de dessiner ses premières ébauches.

C'est un peu de la même façon que doit procéder le chercheur en sciences humaines. Ses travaux de recherche seront de peu de valeur s'il ne s'est pas adonné à une préparation minutieuse avant d'entreprendre le gros de ses recherches. Cette préparation minutieuse lui permettra, entre autres, de déterminer dès le départ ce qu'il veut démontrer à propos de son objet d'étude et la manière de procéder pour effectuer la démonstration. On ne redira jamais assez l'importance de la planification de départ.

Le projet de recherche sert essentiellement à ce travail préparatoire qui peut facilement constituer la moitié de l'effort global à fournir. On peut donc dire qu'il remplit trois fonctions essentielles relativement à une activité de recherche :

» Il aide à mieux préciser l'objet d'étude.

» Il permet de planifier les étapes de la recherche.

» Il aide à sélectionner les stratégies et les méthodes de recherche les plus appropriées compte tenu de ce que l'on veut démontrer.

PROJET DE RECHERCHE ET RAPPORT DE RECHERCHE

Il convient de saisir clairement la différence entre un projet de recherche et un rapport de recherche, ou travail long, que les professeurs exigent souvent au baccalauréat, à la maîtrise ou au doctorat. En réalité, la différence entre ces deux types d'exercices est semblable à celle qui existe entre les plans de l'architecte et la structure une fois achevée.

Le *rapport de recherche* est un document écrit dont la fonction principale consiste à présenter les résultats de la recherche une fois terminée.

Naturellement, il reprend plusieurs éléments du projet de recherche, mais son rôle central consiste à présenter les résultats de l'analyse dont les étapes et procédures ont été annoncées dans le projet de recherche. Un rapport de recherche bien fait comprend habituellement une partie introductive où l'auteur reprend de façon succincte les principaux éléments du projet de recherche. La partie centrale du rapport de recherche consiste à présenter et à discuter les résultats de l'analyse. La conclusion fait le point sur la vérification de l'hypothèse, critique la méthode utilisée et enfin dessine de nouvelles pistes de recherche.

Le *projet de recherche* est également un document écrit qui, au lieu de présenter les résultats de la recherche, annonce plutôt la procédure à suivre pour effectuer la recherche. Il comporte généralement huit parties correspondant à chacune des grandes étapes du processus de recherche : 1) le choix du sujet et la construction de la bibliographie ; 2) la formulation du problème ; 3) l'énonciation de l'hypothèse ; 4) la construction du cadre opératoire ; 5) le choix de la stratégie de vérification ; 6) le choix de la ou des méthodes de collecte de l'information ; 7) le choix de la ou des méthodes d'analyse des données et 8) la présentation des conclusions anticipées. Chacune de ces étapes fait l'objet d'un chapitre distinct dans le présent ouvrage.

Un processus de recherche ne peut pas être entrepris sans la construction préalable d'une bibliographie qui indique au chercheur la nature du matériel dont il pourra disposer pour mener à bien son étude. Nous traiterons de la construction de la bibliographie d'un projet de recherche dans le premier chapitre qui couvre aussi la démarche initiale devant précéder toute recherche, c'est-à-dire le choix du sujet.

Le projet de recherche est intimement lié au rapport de recherche. Le projet de recherche prépare le rapport de recherche et en améliore la qualité. En fait, il constitue un appui indispensable, non seulement pour le rapport de recherche, mais également pour la réussite de l'ensemble du processus.

PRINCIPALES COMPOSANTES
DU PROJET DE RECHERCHE ET DU RAPPORT DE RECHERCHE

Projet	**Rapport**
1. Choix du sujet et construction de la bibliographie	1. *Partie introductive* Reprise en abrégé des points 1 à 8 du projet de recherche.
2. Formulation du problème	2. *Partie centrale* Présentation et discussion des principaux résultats de l'analyse selon le cadre opératoire établi dans le projet.
3. Énonciation de l'hypothèse	
4. Construction du cadre opératoire	
5. Choix de la stratégie de vérification	
6. Choix de la ou des méthodes de collecte de l'information	3. *Conclusion* Discussion des résultats de l'analyse par rapport à la vérification de l'hypothèse, retour critique sur la méthode utilisée et proposition de pistes de recherche éventuelles.
7. Choix de la ou des méthodes d'analyse des données	
8. Présentation des conclusions anticipées	4. *Bibliographie du rapport de recherche*

Choisir le sujet et construire la bibliographie[1]

La qualité du projet et le succès de la recherche elle-même dépendent souvent de considérations qui interviennent au moment même de choisir son sujet d'étude. Il est donc essentiel d'en dresser l'inventaire dès l'étape du choix du sujet et de vérifier, par des lectures préliminaires, que le sujet choisi respecte ces considérations.

QUELQUES CRITÈRES À RESPECTER LORS DU CHOIX DU SUJET

Une recherche universitaire débute normalement par le choix d'un sujet. Dans le cadre d'un cours, il arrive qu'un professeur impose un choix, mais le plus souvent cette contrainte n'existe pas pourvu que le sujet choisi ait un rapport quelconque avec le thème du cours. Le même degré de liberté existe pour le choix d'un sujet de mémoire de maîtrise ou de thèse de doctorat. Ce choix d'un sujet de recherche doit cependant être fait en tenant compte d'un certain nombre de considérations qui augmenteront les chances de succès. Les quatre principales sont: l'intérêt porté au sujet; l'ampleur et la qualité du corpus nécessaire à la recherche: la pertinence sociale et politique du sujet, et enfin les instruments de recherche disponibles.

---

1. Dorénavant et pour chaque étape à venir, nous indiquerons la procédure pour chacune des étapes du projet de recherche. C'est pourquoi, en plus du texte principal, chaque partie comprendra un résumé des principales propositions ainsi qu'un rappel succinct des étapes à franchir. Une liste des ouvrages cités apparaît en fin de chapitre.

La considération la plus importante est de *s'assurer de l'intérêt porté au sujet*. Un travail universitaire, particulièrement s'il s'agit de produire un mémoire de maîtrise ou une thèse de doctorat, est un exercice difficile. Une période de grande productivité peut être suivie d'une période de découragement parce qu'on bute sur la formulation du problème ou sur la construction du cadre d'analyse, parce que les sources qu'on avait prévu utiliser ne fournissent pas l'information nécessaire ou alors parce que l'analyse des données se révèle beaucoup plus ardue qu'envisagée au départ. C'est dans ces périodes de découragement que le risque d'abandon est le plus fort si l'intérêt envers le sujet d'étude est faible. L'expérience montre qu'un fort degré d'intérêt pour son sujet de recherche constitue une source d'inspiration profonde et un gage puissant de succès.

Une deuxième considération est de *s'assurer de l'ampleur et de la qualité du corpus* nécessaire à la recherche. Ce corpus est composé premièrement des travaux existants sur le sujet et, deuxièmement, de l'information brute dont on aura besoin pour faire l'analyse. Dans le premier cas, on doit se demander si des études ont déjà été produites sur le thème choisi et à quelles conclusions elles sont arrivées. Il est rare, pour ne pas dire impossible, de formuler un problème de recherche sur un sujet entièrement nouveau et original. Toute recherche prend racine dans des recherches antérieures, soit pour en confirmer ou en amplifier les résultats, soit pour les réviser ou même les contredire. Dans les deux cas, il faut tirer profit des travaux antérieurs pour identifier le problème de recherche. Tirer profit des travaux antérieurs ne veut cependant pas dire qu'il faille reproduire ces travaux. Mais comme un sujet peut être abordé sous de très nombreux angles, il est profitable de voir comment les autres ont procédé afin de choisir une façon originale de mener l'étude et d'évaluer les chances de succès de l'approche à privilégier

On doit ensuite *vérifier la disponibilité et la qualité des sources d'information* qui fourniront les données pour l'analyse. Car toute recherche universitaire repose sur l'observation qui est le pilier empirique de l'approche scientifique. L'observation empirique distingue la recherche scientifique d'autres modes de connaissance, comme la philosophie ou les mathématiques. Pour s'assurer que la recherche reposera sur l'observation empirique, on doit, dès l'étape du choix du sujet, vérifier la disponibilité de l'information à traiter pour faire l'analyse. L'information est-elle disponible et comment se présente-t-elle ? C'est toute la faisabilité de la recherche qui est ici en cause. Dans plusieurs cas, l'information qu'on prévoyait utiliser n'est pas complètement accessible ou est alors de qualité inégale. Cela oblige à revenir sur le cadre d'analyse pour changer une variable ou remplacer un indicateur. Dans d'autres cas, plus rares, l'information se révèle inexistante ou inaccessible ce qui remet en cause l'ensemble de la recherche. Il est donc extrêmement important de s'assurer au départ de la disponibilité de l'information, parce que c'est elle qui fournit le principal critère de décision en matière de faisabilité d'un projet de recherche. Connaître dès le départ l'état réel du corpus est fondamental pour éviter de s'engager dans un cul-de-sac.

Une troisième considération porte sur *la pertinence politique et sociale* du sujet choisi. C'est une considération particulièrement importante pour qui veut faire une demande de bourse ou de subvention de recherche parce que les organismes subventionnaires demandent maintenant qu'on en fasse état car ils en tiennent compte au moment de l'allocation des fonds. Même si on ne fait pas de demande de bourse ou de subvention de recherche, il faut se préoccuper de la pertinence ou de l'impact de sa recherche sur le public cible. Cela permet de se convaincre soi-même et de convaincre le lecteur du mérite de la recherche et du bien-fondé de l'effort à réaliser.

Une quatrième et dernière considération concerne *l'utilisation d'instruments de recherche.* Ces instruments constituent le pilier méthodologique de l'approche scientifique, permettant de faire le lien entre l'attente logique de certains résultats (c'est-à-dire la théorie) et l'observation empirique. C'est l'utilisation d'une méthode qui permet de dire, avec un certain degré de certitude, si l'on s'est trompé ou non. La disponibilité des instruments de recherche a un caractère moins urgent que les facteurs qui précèdent à l'étape du choix du sujet parce que, dans bien des cas, le chercheur aura la possibilité de tailler ces instruments à la mesure de la recherche à entreprendre. Les instruments de recherche peuvent toutefois se révéler un facteur déterminant du choix du sujet pour certains types de recherche.

Le choix d'un sujet de recherche ne doit donc pas être fait à la légère. En tenant compte des considérations qui précèdent, on se donne l'assurance raisonnable de ne pas s'engager dans un cul-de-sac et on se donne la meilleure chance possible de mener le processus de recherche à terme.

CONSTRUIRE ET PRÉSENTER LA BIBLIOGRAPHIE DU PROJET DE RECHERCHE[2]

Comment s'assurer que le sujet choisi et la recherche que l'on projette d'effectuer sur ce sujet remplissent les critères que nous venons d'identifier? La seule méthode reconnue est la lecture. C'est pourquoi il importe, dès que le sujet de recherche a été choisi, de constituer la bibliographie la plus exhaustive possible et d'entamer un effort de lecture des principaux titres de cette bibliographie. La tâche du chercheur, au moment de la phase préparatoire du choix du sujet, est de repérer à peu près tous les documents éventuellement utiles à sa recherche. Nous disons « à peu près » parce qu'il est normal de ne pas avoir pu consulter tous les textes pertinents à cette étape. On s'attend donc à ce que certains textes soient ajoutés à la liste et que d'autres soient retranchés de la liste entre l'étape initiale du processus (le choix du sujet) et l'étape finale (la présentation du projet de recherche).

La bibliographie d'un projet de recherche est différente de celle que l'on soumet au moment de présenter le rapport de recherche. En effet, la bibliographie d'un rapport de recherche ne recensera que les textes ayant servi directement à la recherche, tandis que la bibliographie du projet de recherche est habituellement plus volumineuse parce que la recherche est loin d'être terminée au moment où l'on met le projet en route. C'est au terme de la recherche que l'on est en mesure d'épurer la bibliographie du projet de recherche pour ne retenir, à la fin du rapport de recherche, que les textes qui ont été immédiatement utiles pour le travail d'analyse.

---

2.   Cette section propose quelques règles de présentation de la bibliographie sans s'attarder sur les autres règles de présentation matérielle d'une recherche telles que la mise en page, les notes de bas de page, la langue, ou la manière de présenter les tableaux. Pour plus de détails concernant les règles de présentation matérielle, nous renvoyons le lecteur aux textes cités à la fin de l'étape, et en particulier à l'ouvrage de Jean Crête et Louis Imbeau (1994).

La bibliographie du projet de recherche remplit donc un double rôle. D'une part, elle nous permet de savoir s'il existe un matériel suffisant pour mener la recherche à terme. C'est une information qu'il vaut mieux posséder avant d'être rendu trop loin en recherche et l'appréciation à cet égard sera d'autant plus sûre que l'on aura constitué la bibliographie avec méthode en consultant d'abord les répertoires généraux et spécialisés. D'autre part, elle nous informe sur le type et les catégories de documents disponibles par rapport au sujet à traiter. Il est important de posséder cette information dès le départ afin d'orienter plus facilement ses recherches.

Mais comment s'assurer d'avoir la bibliographie la plus complète possible? Comment établir la qualité du matériel disponible dans un univers de documentation qu'Internet a rendu de plus en plus accessible, mais aussi de plus en plus complexe et diversifié? On peut raisonnablement faire confiance aux sources officielles, aux articles des revues spécialisées et aux ouvrages produits par les presses universitaires et les grands éditeurs privés. Mais qu'en est-il d'autres documents que l'on trouve sur Internet comme les blogues, les infolettres (newsletters) et d'autres sources comme Wikipédia? Les documents ont-ils tous la même valeur? Sinon, comment quelqu'un qui débute en recherche peut-il parvenir à les départager et à retenir les plus fiables?

Il n'existe pas de guide ou de règle universelle prescrivant les étapes à franchir pour construire une bibliographie. Il y a différentes façons de procéder (Séguin, 2016) selon les disciplines et les cultures scientifiques. Le chercheur débutant devrait toutefois pouvoir tirer profit des principes suivants.

- Le premier est de *délimiter son sujet* le plus possible dès le départ de façon à restreindre la recherche bibliographique. Plus le sujet est large, plus le corpus à explorer sera volumineux.

- On tirera aussi profit du *principe de triangulation* qui veut qu'on ne doive pas se fier à une seule source d'information. Un moteur de recherche aussi performant soit-il ne permettra pas d'identifier toutes les sources bibliographiques concernant un sujet donné. On doit utiliser d'autres sources comme les index et bibliographies auxquels on peut accéder directement ou par l'entremise des bibliothèques universitaires.

- Il faut toujours privilégier les *documents qui ont fait l'objet d'évaluation externe* comme les articles de revues spécialisées, les publications officielles ou les ouvrages de maisons d'édition reconnues. Le fait de savoir qu'un document a fait l'objet d'un « contrôle » par quelqu'un d'autre que son auteur est généralement un gage d'assurance quant à la fiabilité de l'information contenue dans le document. C'est le cas en particulier des articles de revues spécialisées (avec comité de lecture) qui ont fait l'objet d'une évaluation anonyme (souvent à plus d'une reprise) avant d'être publiés. Cela ne signifie pas qu'on ne trouvera pas une idée ou une information intéressante dans d'autres types de documents comme un blogue, un courrier des lecteurs ou un mémoire produit par une quelconque association. Mais l'absence de contrôle par un tiers de tels documents doit inciter à la prudence au regard de son contenu.

- La *consultation d'ouvrages de référence tels que les dictionnaires, encyclopédies et articles ou ouvrages de synthèse* facilite souvent le repérage des sources. En faisant le point sur un sujet donné ou en abordant les textes principaux qui traitent de ce sujet, les ouvrages de référence nous orientent vers les textes les plus importants qui, eux-mêmes, contiennent généralement des bibliographies très riches.

Procéder méticuleusement pour construire une bibliographie constitue donc un investissement « payant » pour la suite de la recherche. C'est la meilleure façon d'avoir le portrait le plus complet possible du corpus avec lequel il faudra travailler pour mener la recherche à terme. Cela permet aussi d'éviter des oublis majeurs que ne manqueront pas de repérer des lecteurs aguerris, particulièrement dans les jurys de thèses ou de concours de bourses.

COMMENT PRÉSENTER LA BIBLIOGRAPHIE ?

Ce dont il faut surtout tenir compte dans la présentation de la bibliographie, c'est que cette dernière constitue *un outil* proposé au lecteur désireux d'en savoir plus sur tel ou tel aspect abordé dans le travail. Chaque auteur a donc l'obligation de fournir systématiquement une information complète sur les sources utilisées ; on doit respecter à cet égard les règles de présentation en usage tant pour les grandes rubriques que pour les entrées individuelles.

Il existe quatre principaux systèmes de présentation des citations et bibliographies utilisés dans le monde (Franklin, 2013, p. 254-257; Weselby, 2014) : celui de l'APA (American Psychological Association), utilisé principalement en psychologie, le format Vancouver, présent surtout en médecine et dans les sciences naturelles, le format Harvard et le format Chicago. Les sciences sociales et les sciences humaines privilégient ces deux derniers formats ou des variations de ces deux formats selon les universités et les maisons d'édition.

La méthode Harvard, appelée aussi système auteur-date ou encore système abrégé, est généralement utilisée dans le réseau universitaire nord-américain. On indique entre parenthèses dans le texte le nom du ou des auteurs auxquels on fait référence, suivi de la date de publication et du numéro de la ou des pages, le cas échéant. L'information complète à propos de la publication apparaît alors dans la liste des ouvrages cités en fin de chapitre ou en fin d'ouvrage.

Le format Chicago (University of Chicago Press Staff, 2010), qu'on nomme parfois système classique puisqu'on l'utilise depuis une centaine d'années, est un système où la référence apparaît dans une note de bas de page ou de fin de chapitre. On indique alors, dans le cas d'un livre, le nom de l'auteur, le titre du document, le lieu de publication, la maison d'édition et la date de publication. On regroupe toutes les références dans une bibliographie placée en fin de chapitre ou, plus généralement, en fin d'ouvrage.

Certaines universités utilisent des variations de ces formats. La règle diffère selon les institutions et il est préférable de s'informer auprès de son département ou de sa faculté. À l'Université Laval, par exemple, le Département de science politique met à la disposition des étudiants un *Guide pour la présentation des travaux écrits* (Département, 2005). Peu importe le format utilisé, la règle à respecter est l'uniformité. On doit demeurer fidèle au même format tout au long du travail.

La façon la plus répandue de présenter une bibliographie est de placer tous les titres par ordre alphabétique d'auteurs sans classer les titres par catégorie. Une deuxième façon, plus scolaire, mais aussi plus utile pour le lecteur, consiste à classer les titres en grandes rubriques à l'intérieur desquelles on respecte l'ordre alphabétique. On suggère les cinq rubriques de classement suivantes :

> » documents officiels
> » ouvrages spécialisés, monographies et thèses
> » périodiques spécialisés (revues scientifiques)
> » autres périodiques (quotidiens, hebdomadaires…)
> » autres documents (rapports de recherche, blogues, infolettres [*newsletters*], etc.).

Les documents électroniques sont aujourd'hui monnaie courante et occupent une place de plus en plus grande dans les bibliographies ou dans les listes de références. Contrairement aux sources imprimées qui doivent habituellement franchir les étapes de validation, de vérification et d'approbation avant publication, le contenu des sources Internet est rarement validé et approuvé par une autorité extérieure. Il appartient donc au chercheur de vérifier l'objectivité de l'information et la qualité et la fiabilité des sources Internet qu'il cite. Pour trouver des informations détaillées sur une manière d'évaluer et de citer les sources Internet, le lecteur est invité à consulter les différents guides cités à la fin de ce chapitre, en particulier le site Infosphère de la Bibliothèque de l'Université Laval. Une dernière remarque concerne la fréquence inhabituelle des sources Internet figurant dans les cas de plagiat répertoriés par les enseignants.

> *Quiconque copie en tout ou partie le contenu d'une autre recherche dans sa propre recherche sans en citer la source commet un* plagiat, *y compris pour les sources Internet (Franklin, 2013, p. 110-116).*

RÉSUMÉ

1. Le succès ou l'échec d'un travail de recherche dépend en bonne partie du choix du sujet d'étude. C'est pourquoi il importe de faire un choix éclairé en tenant compte de quatre considérations : l'intérêt porté au sujet ; l'ampleur et la qualité du corpus nécessaire à la recherche : la pertinence sociale et politique du sujet et la disponibilité des instruments de recherche.

2. La bibliographie du projet de recherche est plus étendue que celle du travail long. Elle permet de déterminer dès le départ s'il existe un matériel suffisant pour réaliser la recherche et indique quel type de matériel est accessible. Le choix du matériel doit tenir compte de quatre principes : la délimitation du sujet le plus possible dès le départ, la triangulation, l'évaluation externe du document et la consultation d'ouvrages de référence.

3. La présentation de la bibliographie doit respecter les règles en usage à cet égard. Elle est un outil pour le lecteur et doit, à ce titre, fournir une information complète sur les sources utilisées.

Comment construire et présenter une bibliographie

1. S'assurer que le choix du sujet tient compte des critères identifiés dans le résumé.

2. Clarifier l'objet d'étude au moyen de dictionnaires, d'encyclopédies, d'annuaires et de traités spécialisés.

3. Consulter les moteurs de recherche et les bibliographies pertinentes (courantes, spécialisées, etc.).

4. Présenter la bibliographie en alignant les entrées par ordre alphabétique d'auteurs et en distinguant au moins les publications officielles des travaux. On peut également établir des catégories selon qu'il s'agit de textes publiés ou non publiés.

5. Se conformer aux autres règles de présentation en vigueur dans son établissement.

LISTE DES OUVRAGES CITÉS

BIBLIOTHÈQUE DE L'UNIVERSITÉ LAVAL (2010). Site Infosphère. [En ligne]. [https://www.bibl.ulaval.ca/infosphere/sciences/index.html].

CRÊTE, Jean et Louis M. IMBEAU (1994), *Comprendre et communiquer la science*, Québec, Les Presses de l'Université Laval.

DÉPARTEMENT DE SCIENCE POLITIQUE (2005), *Guide pour la présentation des travaux écrits*, Québec, Université Laval, Département de science politique. [En ligne]. [http://www.cms.fss.ulaval.ca/upload/pol/fichiers/guide-travaux2005.pdf].

FRANKLIN, Marianne I. (2013), *Understanding Research. Coping with the Quantitative-Qualitative Divide*, Londres/New York, Routledge, p. 110-116 et 254-257.

SÉGUIN, Catherine (2016), « La recension des écrits et la recherche documentaire » dans Benoît Gauthier et Isabelle Bourgeois (sous la direction de), *Recherche sociale, de la problématique à la collecte des données*, 6ᵉ édition, Québec, Presses de l'Université du Québec, p. 77-101.

UNIVERSITY OF CHICAGO PRESS STAFF (2010), *The Chicago Manuel of Style*, 16ᵉ édition, Chicago, University of Chicago Press.

WESELBY, Joanne M. (2014), *Citations Made Simple: A Student's Guide to Easy Referencing: The Complete Guide*, vol. 7, s. l., Amazon, édition Kindle.

SCHÉMA DES ÉTAPES DU PROJET DE RECHERCHE

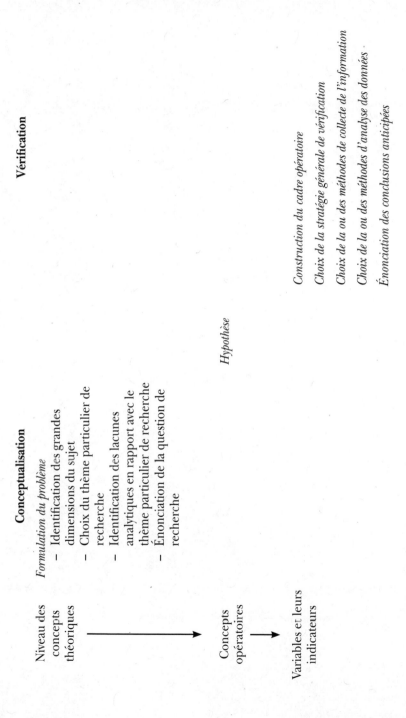

Conceptualisation

Vérification

Formulation du problème
– Identification des grandes dimensions du sujet
– Choix du thème particulier de recherche
– Identification des lacunes analytiques en rapport avec le thème particulier de recherche
– Énonciation de la question de recherche

Hypothèse

Construction du cadre opératoire
Choix de la stratégie générale de vérification
Choix de la ou des méthodes de collecte de l'information
Choix de la ou des méthodes d'analyse des données
Énonciation des conclusions anticipées

Niveau des concepts théoriques

Concepts opératoires

Variables et leurs indicateurs

Formuler le problème

U ne fois le sujet choisi, il faut s'attaquer à la formulation du problème de recherche qui constitue l'étape initiale du processus de recherche proprement dit. La formulation du problème de recherche se fait en deux opérations distinctes. L'identification du *problème général* de recherche vise à identifier les principales dimensions du thème à étudier qui, de façon générale, est trop large pour faire l'objet d'une recherche. C'est donc un exercice de classement à la différence de l'identification du *problème spécifique* de recherche qui, lui, est un exercice de lecture critique de la littérature produite sur la dimension ou le thème particulier qu'on a choisi d'étudier.

Dans cette étape, nous traiterons successivement: 1) de la raison d'être de la formulation du problème; 2) de la nature du problème de recherche; 3) des étapes de la formulation du problème, notamment de la reconnaissance du problème général de recherche et 4) de la formulation du problème spécifique de recherche à l'origine de la question particulière qui doit sous-tendre toute recherche.

POURQUOI FORMULER UN PROBLÈME?

Toute connaissance scientifique est fondamentalement une démarche de questionnement; un questionnement à propos de ce que l'on ne sait pas concernant tel ou tel sujet et un question-nement concernant ce qu'on veut apprendre sur ce même sujet (Norgaard, 2008, p. 1). C'est d'ailleurs pourquoi les scientifiques insistent sur l'esprit de curiosité essentiel à un bon chercheur. Car si la recherche scientifique peut fournir immédiatement des réponses concrètes pour solutionner des problèmes sociaux, il arrive souvent aussi que les premières réponses obtenues servent de prélude à la relance du processus de recherche. Ainsi, la connaissance scientifique est, par nature, un processus constamment inachevé.

Mais si la recherche scientifique est un processus de questionnement, il faut bien comprendre que les questions à l'origine de la démarche scientifique n'émergent pas du néant. Elles résultent en quelque sorte d'un constat d'échec par rapport à la connaissance que nous avons de tel ou tel sujet (Firestein, 2016, p. 130). Car si, à un moment donné, nous sommes en mesure de formuler une question, c'est uniquement parce que nous avons auparavant constaté un problème.

> Un problème *peut se définir comme un écart constaté entre une situation de départ insatisfaisante et une situation d'arrivée désirable. Un processus de recherche est entrepris afin de combler cet écart.*

La définition d'un problème en termes d'écart à combler peut et doit se concevoir de deux façons distinctes. Un problème se conçoit tout d'abord comme *problème politique ou social*. Un problème politique ou social est posé dès que l'on constate qu'il y a un écart entre une situation politique ou sociale de départ insatisfaisante et une situation politique ou sociale d'arrivée désirable. Comme nous l'avons vu dans l'étape précédente, la constatation d'un tel écart sert, en partie, à motiver le choix du sujet. Pensons par exemple aux préoccupations politiques et sociales provoquées par le manque de participation démocratique dans nos sociétés (la situation de départ insatisfaisante). Ces préoccupations motivent la recherche de solutions qui nous permettront d'améliorer la participation des citoyens au processus démocratique et d'aboutir ainsi à une situation d'arrivée plus satisfaisante. Ces préoccupations et les solutions qui y sont associées mettent en lumière la conscience sociale ou politique du chercheur et doivent s'exprimer à l'étape du choix du sujet.

Un problème se conçoit aussi (et surtout en recherche universitaire) comme *problème de recherche*, c'est-à-dire un écart constaté entre une connaissance insatisfaisante au départ et une situation de recherche désirable à l'arrivée. Le problème de recherche doit être distingué du problème politique et social, bien qu'il lui soit plus ou moins lié dépendamment des objectifs de la recherche. C'est à l'étape de la formulation du problème que le chercheur définit les principaux éléments du problème de recherche et commence à préciser comment il va s'y prendre, tout au long du processus de recherche, pour essayer de combler l'écart entre la connaissance insatisfaisante du sujet au départ et la situation de recherche désirable à l'arrivée.

On formule un problème de recherche pour deux grandes raisons principalement. La première fonction de la formulation du problème consiste à *faire état des travaux antérieurs* concernant un objet d'étude. Nous devons savoir comment le sujet a été étudié précédemment. Quelles dimensions ont déjà été traitées dans la littérature, sous quels angles, et avec quelle ampleur ? Quels ancrages théoriques ont été utilisés dans les analyses du thème particulier que nous voulons étudier et quelles en sont les forces et les faiblesses (les lacunes abordées plus loin) ? Dans le processus de formulation du problème, il faut pouvoir cerner et mettre en relation les différents éléments constituants de ce problème. Ce n'est qu'à cette condition que les questions pertinentes ou significatives reliées à l'objet d'étude pourront être isolées.

C'est justement la deuxième fonction de la formulation du problème de recherche que de nous *aider à structurer une question* qui orientera ou donnera un sens précis à la recherche visée. Toutes les questions n'ont toutefois par le même degré de pertinence quant à l'objet d'étude; en effet, la question posée peut déjà avoir obtenu une réponse ou il peut être impossible de formuler une réponse adéquate à la question étant donné l'état des connaissances sur l'objet d'étude. Il peut aussi arriver que la question posée soit trop vague pour féconder une vraie recherche. Identifier adéquatement le problème de recherche constitue ainsi un exercice incontournable pour en arriver à formuler une question de recherche pertinente.

La formulation du problème est donc une étape essentielle de la recherche scientifique nous permettant d'élaborer la ou les questions pertinentes relativement à notre objet d'étude et de construire cet objet en donnant un sens ou en intégrant des faits qui, pris en eux-mêmes ou considérés séparément, n'ont pas vraiment de signification. C'est donc le premier pas qui, s'il est fait adéquatement, peut assurer le succès du travail de recherche que nous voulons entreprendre.

COMMENT CERNER UN PROBLÈME GÉNÉRAL DE RECHERCHE ?

Ces clarifications étant apportées, nous pouvons maintenant aborder la manière concrète de formuler un problème de recherche. La formulation du problème, nous l'avons déjà dit, est le point de départ de l'ensemble du processus de recherche. Une bonne part du succès ou de l'échec de l'effort de recherche dépendra du sérieux avec lequel aura été abordée cette étape initiale.

La formulation du problème de recherche comprend deux moments fondamentaux comportant chacun un certain nombre d'étapes à franchir. On circonscrit un *problème général de recherche* en deux étapes principales : 1) en identifiant les principales dimensions du sujet et 2) en choisissant le thème spécifique à traiter. La formulation du *problème spécifique de recherche* comprend aussi deux étapes essentielles : 1) l'identification des lacunes analytiques dans le traitement antérieur du thème spécifique et 2) l'énonciation de la question de recherche à laquelle on veut répondre et qui oriente l'analyse à venir.

1. Identifier les principales dimensions du sujet

Si l'on connaît déjà le thème particulier sur lequel on veut travailler, on peut ignorer cette sous-étape et aller directement à la formulation du problème spécifique de recherche. L'expérience révèle toutefois que les étudiants, même au moment de choisir le sujet de leur thèse de doctorat, ont en général une idée assez vague du sujet à traiter. Par exemple, on dira s'intéresser à la politique étrangère d'un pays, à l'influence des partis politiques, ou encore à la gouvernance environnementale. Ces « intérêts » de recherche sont tout à fait légitimes, mais ils sont beaucoup trop vagues pour faire l'objet d'une recherche universitaire. On doit absolument transformer un intérêt de recherche en une question de recherche (Luker, 2008, p. 51) et la façon d'y arriver est par la formulation adéquate du problème de recherche.

Cela commence d'abord par l'identification des grandes dimensions du sujet à traiter. La lecture attentive des principaux textes de la bibliographie constituée à l'étape précédente sert habituellement de point de départ pour y arriver. Cette lecture de départ remplit deux fonctions essentielles : elle permet d'abord de déterminer l'ampleur du matériel disponible et fournit une première approximation de la nature du matériel avec lequel on aura à travailler. Dans certains cas, cette première recherche sera un facteur déterminant dans la décision de traiter ou non le thème général retenu. Ainsi, si le matériel est abondant et disponible, la recherche prévue pourra dès lors être entreprise. À cette étape, il ne s'agit pas bien sûr de lire tout le matériel répertorié ; le premier exercice de lecture consiste à consulter uniquement les ouvrages généraux permettant de repérer les dimensions, éléments et angles d'étude possibles et à déterminer les types de relations qui existent entre les éléments du problème général à traiter[3].

L'objectif premier de ces lectures est d'identifier les dimensions du sujet qui nous intéressent. Certains textes, des synthèses en général, vont aborder un sujet dans sa totalité de façon à donner au lecteur un aperçu général. On s'aperçoit rapidement toutefois que la majorité des articles et des livres se concentrent sur une ou deux dimensions du sujet seulement. On doit donc essayer d'isoler les principales dimensions couvertes dans la littérature en regroupant les auteurs selon les dimensions.

Prenons un exemple. La politique étrangère d'un pays X est un sujet trop large pour faire l'objet d'une recherche. Certains spécialistes vont donc aborder le sujet en se concentrant sur l'une des étapes de la politique étrangère telles que la formulation, la prise de décision, la mise en application ou l'impact de la politique. D'autres choisiront plutôt d'étudier les acteurs que sont les décideurs eux-mêmes ou ceux qui cherchent à influencer les décisions comme les associations d'affaires et celles de la société civile. D'autres, enfin, voudront privilégier une région géographique ou une période historique donnée.

Voilà autant de dimensions possibles pour ce seul sujet. Le nombre et la nature des dimensions sont naturellement propres à chaque sujet et il n'existe pas de modèle qui indiquerait, dans chaque cas, comment réaliser cet *exercice de classement* que constitue

---

3.   Ce premier exercice de lecture permet aussi de commencer à déterminer les variables et indicateurs déjà utilisés par les auteurs dans les travaux antérieurs. Nous préciserons plus loin la signification de ces notions.

la formulation du problème général de recherche. La seule recommandation à faire peut-être est de restreindre le sujet le plus possible dès le départ. Si l'on veut travailler sur les relations entre la Belgique et ses ex-colonies africaines, privilégier un sujet comme la politique africaine de la Belgique plutôt que la politique étrangère de la Belgique. Préférer également la politique commerciale extérieure de la France plutôt que les relations économiques extérieures de la France si l'on s'intéresse au comportement de la France au sein de l'Organisation mondiale du commerce.

Dans certains cas, on peut pratiquement multiplier les dimensions à l'infini. Rien n'est déterminé ici de façon automatique et tout est question de jugement. L'idéal est de terminer cet exercice de classement avec un nombre limité de 5 ou 6 dimensions parmi lesquelles on choisira le thème spécifique de recherche.

2. Choisir le thème spécifique à traiter

La formulation du problème général de recherche se termine par le choix du thème spécifique que l'on désire étudier. Mais comment procéder pour faire ce choix qui ne peut pas être fait à l'aveuglette puisqu'il nous engage pour une longue période de temps en particulier s'il s'agit d'un mémoire de maîtrise ou d'une thèse de doctorat? Il faut d'abord bien évaluer son intérêt personnel pour le thème choisi dans la mesure où c'est cet intérêt qui nous soutiendra dans les moments difficiles de la recherche.

Il y a ensuite la question importante de la faisabilité qui nous oblige à revenir à la bibliographie constituée au départ afin de vérifier s'il existe suffisamment de matériel pour traiter le thème particulier choisi. On fait référence ici moins aux analyses antérieures sur le thème qu'à la disponibilité des sources dans lesquelles on trouvera l'information nécessaire à notre analyse. Inutile d'aller plus loin si l'information dont nous avons besoin pour mener l'étude à terme n'existe pas, est inaccessible ou se révèle trop incomplète.

L'intérêt du chercheur par rapport au thème et la disponibilité des sources d'information constituent donc les principaux critères de choix à cette étape de la recherche.

COMMENT FORMULER LE PROBLÈME SPÉCIFIQUE DE RECHERCHE ?

Nous sommes maintenant arrivés à l'étape de la formulation du problème spécifique de recherche qui constitue le deuxième grand moment de la formulation du problème. Cette étape comporte deux sous-étapes : 1) l'identification des lacunes analytiques dans le traitement antérieur du thème spécifique et 2) l'énonciation de la question spécifique de recherche.

1. Identifier les lacunes analytiques

Si la formulation du problème général de recherche est en quelque sorte un exercice de classement, la formulation du problème spécifique, quant à elle, se veut plutôt un *exercice de lecture critique*. Il faut lire, non plus des ouvrages généraux, mais bien des études et des analyses sur le thème particulier dont on veut traiter afin d'identifier les concepts utilisés par les auteurs ainsi que les approches théoriques qui leur ont servi à analyser le thème particulier retenu. Il faudra ensuite identifier des « trous » ou des lacunes analytiques à combler. La ou les lacunes considérées comme les plus importantes serviront à formuler une question de recherche et à justifier l'analyse envisagée.

Cette analyse, comme toute analyse scientifique, doit s'insérer dans une « conversation » théorique à laquelle participe une communauté de chercheurs intéressés par le sujet. Chaque cas étudié doit permettre de dire quelque chose à propos du concept ou de la problématique théorique plus large (et plus abstraite) à laquelle le cas se rattache. Lorsqu'on aborde l'étude d'un cas, on doit donc toujours se demander à quel concept ou à quelle théorie se rattache notre cas. L'expression anglaise « *What is this a case of ?* », qui se traduit mal en français, exprime parfaitement cette idée.

Par exemple, l'analyse du vote des jeunes prend tout son sens quand on la considère comme faisant partie de la question plus large du récent déclin de la participation politique et de ce qui peut être entrepris pour y remédier ou au moins en atténuer les effets. Identifier le lien de parenté entre le thème spécifique ou le cas choisi pour étude et le concept ou la théorie qui concordent constitue donc un incontournable en recherche scientifique puisque concept et théorie sont les outils de base de la connaissance scientifique.

> *Le* concept *est un mot, ou une expression, que les chercheurs ont emprunté au vocabulaire courant ou construit de toute pièce pour désigner ou circonscrire des phénomènes de la réalité observable qu'ils désirent étudier scientifiquement. C'est une représentation abstraite d'une réalité observable ; elle n'est donc jamais parfaitement conforme au phénomène réel qui, de toute façon, ne peut jamais être complètement connu.*

Et en ce sens, l'explication scientifique, comme toutes les autres formes d'explication, n'est jamais qu'une approximation de la réalité. Mais, aussi imparfaite soit-elle, la connaissance scientifique, comme tous les autres modes de connaissance, demeure notre seul et unique instrument pour circonscrire le mieux possible cette réalité observable. Et comme le concept est l'outil de base de la méthode scientifique, c'est aussi l'instrument privilégié pour traduire notre représentation mentale de la réalité et construire notre explication de cette réalité. C'est d'ailleurs pourquoi on affirme souvent que l'explication scientifique n'est qu'une expérimentation ou une vérification de relations possibles entre des concepts ou entre les attributs de ces concepts.

Cela dit, le concept en milieu scientifique et un terme apparenté utilisé dans le langage courant ne représentent pas exactement la même réalité. Par exemple, les mots « poids » et « masse » font référence à une même réalité, mais ne véhiculent pas exactement la même information ; en effet, le poids est un terme du langage courant que les physiciens ont remplacé par le concept de masse, construit de toute pièce, parce qu'il permet d'incorporer plus complètement l'ensemble des propriétés que comporte le phénomène de la pesanteur. En sciences sociales et en sciences humaines, à la différence des sciences de la nature, on utilise plus souvent des mots du vocabulaire commun comme concepts scientifiques. C'est le cas, par exemple, de l'expression « démocratie » que les politologues emploient autant que les journalistes ou le grand public. Mais le terme n'a pas alors la même signification pour le politologue qui l'emploie comme concept scientifique et qui, en conséquence, doit en préciser les propriétés.

Pour revenir à notre exemple, nous définirons la participation politique comme l'ensemble des activités politiques que peuvent avoir les individus dans la société. Les chercheurs distinguent souvent la participation conventionnelle (vote, militantisme dans un parti) de la participation non conventionnelle (participation à une manifestation). Certains chercheurs considèrent que l'utilisation des médias sociaux est également une forme de participation politique. Les concepts sont donc des instruments de la méthode scientifique qui interviennent au moment de la formulation du problème de recherche. À cette étape, les chercheurs utilisent les concepts essentiellement pour à la fois identifier les dimensions d'un sujet et pour circonscrire les angles d'analyse en fonction desquels le sujet a déjà été traité.

Le concept intervient à nouveau dans le processus de recherche à l'étape de l'énonciation de la question spécifique de recherche. Nous y reviendrons alors. Pour le moment, soulignons que l'instrument fondamental en recherche scientifique est le concept ; c'est le pivot de la méthode scientifique sur lequel repose tout notre savoir. Sans concept bien défini, aucune connaissance scientifique n'est possible. Sartori, Riggs et Teune (1975, p. 10) donnent à cet effet l'exemple du jeu de cartes qui illustre bien l'importance des concepts en recherche scientifique. Il n'est possible, disent-ils, de jouer aux cartes que parce que tous les joueurs s'entendent sur la valeur accordée à chacune des cartes utilisées. C'est sensiblement la même chose en recherche scientifique où, en l'absence de consensus sur la signification des concepts utilisés, il est peu probable qu'une discipline puisse fournir un corpus de connaissances structurées sur la réalité observable. Voilà pourquoi les chercheurs doivent être attentifs aux concepts et aux termes-clés qu'ils utilisent.

L'approche théorique, *pour sa part, est une structure potentielle d'explication qui comporte un certain nombre d'éléments. Elle comprend d'abord des postulats (principes premiers indémontrables ou non démontrés) qui traduisent la vision des choses sur laquelle elle s'appuie. Elle comprend aussi les concepts qui permettent de cerner et de classifier les phénomènes à étudier. Elle précise, par des propositions, l'ensemble des relations postulées entre les différents concepts et sous-concepts de l'approche et pose quelques hypothèses sur des relations entre concepts qui, si elles peuvent être vérifiées et confirmées, pourront être transformées en lois générales ou en généralisations théoriques.*

Ce n'est que lorsqu'on aboutit à de telles lois générales que l'on peut parler, *stricto sensu*, de théories. Un dernier élément, plus mondain mais néanmoins nécessaire, associe chaque approche théorique à un (ou à plusieurs) travail scientifique fondateur qu'il convient de citer.

De façon générale, plusieurs approches théoriques rivales coexistent à l'intérieur de chaque sous-champ d'une discipline scientifique donnée et peuvent servir à l'étude d'un thème spécifique ou d'un cas particulier. Chacune de ces approches théoriques met l'accent sur des problématiques et des questionnements différents. Il incombe donc au chercheur d'identifier, à l'étape du problème spécifique, l'approche théorique pertinente. Il est fort probable, en effet, que certaines approches théoriques seront mieux appropriées que d'autres pour répondre à la question de recherche posée.

Pour ne donner que l'exemple de la science politique, quatre grandes approches théoriques ont dominé la discipline (surtout en Amérique du Nord) au cours des cinquante dernières années. Il s'agit de l'approche des choix rationnels représentée entre autres par les travaux d'Anthony Downs (2013) et de Mancur Olson (1974) ; de l'approche fonctionnaliste, incarnée par les travaux de Robert Merton (1998) ; de l'approche systémique de David Easton (1974) et de l'approche néo-institutionnelle représentée entre autres par les travaux de Theda Skocpol (1979).

Les approches théoriques sont appelées par ailleurs à évoluer avec le temps au gré du changement dans l'utilisation des concepts et des nouvelles découvertes scientifiques. Un bon exemple est l'évolution dans le temps de l'approche théorique des choix rationnels, en particulier dans sa manière d'expliquer l'action des groupes organisés dans nos sociétés. Selon l'approche théorique classique des groupes (Truman, 1951), les groupes organisés dans la société ont tous en commun la caractéristique de défendre un bien collectif, c'est-à-dire un bien qui est commun à tous les membres du groupe. Ce bien collectif étant avantageux pour tous les membres, son existence est une condition suffisante pour que les groupes s'organisent. Donc, selon l'approche classique, les groupes s'organisent de manière naturelle et efficiente parce que c'est avantageux pour leurs membres. À noter la similarité de l'approche classique avec la théorie marxiste selon laquelle les classes sociales s'organisent de manière naturelle parce que c'est avantageux pour leurs membres.

Mancur Olson, dans *La Logique de l'action collective* (1974), prend l'argument classique à rebours et démontre logiquement qu'un groupe d'individus qui savent qu'il serait avantageux de se mobiliser pour produire un bien collectif ne vont pas le faire parce chaque individu a intérêt à se conduire en « passager clandestin » et à laisser aux autres le soin de contribuer au bien collectif. Chaque individu adoptant un comportement semblable de passager clandestin, la mobilisation collective devient impossible à moins de mettre en œuvre des incitations sélectives sous forme de contraintes ou de bénéfices privés capables d'inciter chaque individu à se mobiliser.

Plusieurs travaux scientifiques récents, dont ceux d'Elinor Ostrom (2010) en particulier, ont montré qu'on peut dépasser la logique de la théorie d'Olson pour peu que l'on prête attention au poids des forces institutionnelles et des liens sociaux de solidarité qui associent les membres d'un groupe entre eux.

L'approche théorique constitue donc un ensemble intégré de postulats, de concepts et de sous-concepts que l'on utilise pour mieux structurer l'explication de la réalité observable. Dans le projet de recherche, l'approche théorique intervient d'abord au moment de la formulation du problème puisqu'elle peut fournir l'assise à l'énoncé de la question spécifique de recherche. Elle intervient surtout au moment de la structuration de l'hypothèse et de la construction du cadre opératoire. C'est aussi cette approche théorique qui fournit l'articulation logique sur laquelle le chercheur se base pour anticiper certains résultats plutôt que d'autres.

Revenons à la formulation du problème spécifique de recherche qui, nous l'avons dit, est essentiellement un exercice d'identification des lacunes constatées dans les analyses ou les travaux antérieurs portant sur le thème particulier dont nous voulons traiter. C'est la constatation d'une ou plusieurs lacunes de ce type qui justifie la raison d'être de notre travail de recherche.

Les problèmes de recherche qu'on peut identifier en consultant la littérature qui traite d'un thème donné sont de différents ordres. Appelons-les conceptuel, analytique et méthodologique pour nous en tenir aux principaux. Sur le plan conceptuel, il se peut que les concepts utilisés par un auteur soient mal définis et ainsi ne supportent pas le cadre d'analyse proposé. Il se peut aussi que des approches théoriques concurrentes proposent des interprétations différentes, voire complètement opposées, d'une même réalité observée. Sur le plan analytique, le cadre opératoire utilisé par un auteur peut être défectueux ou incomplet et ainsi ne pas valider les conclusions auxquelles arrive cet auteur malgré ce qu'il en dit. Sur le plan méthodologique, enfin, il se peut que des lacunes apparaissent dans le design ou dans l'application de la stratégie de recherche, dans la collecte de l'information ou encore dans l'application de certaines méthodes d'analyse.

Une lacune d'un ordre différent est le constat d'une absence totale ou partielle de connaissances ou d'analyses antérieures sur le thème qu'on veut traiter. Cette lacune particulière doit attirer notre attention sur le danger d'entreprendre une recherche sur une question qui a été peu ou pas abordée dans la littérature.

Quelle que soit leur raison d'être, les lacunes identifiées dans les travaux antérieurs sur un thème donné constituent un problème qui peut justifier un nouveau travail de recherche sur ce thème ou à tout le moins une étude complémentaire. Certains objecteront, peut-être avec raison, qu'ils n'ont pas une expérience suffisante en recherche pour pouvoir eux-mêmes identifier des lacunes ou des problèmes de recherche. Ils peuvent se rassurer en sachant que les auteurs, dans les articles de recherche à tout le moins, se font généralement un devoir d'identifier les lacunes conceptuelles, analytiques ou méthodologiques dans les travaux de leurs collègues. Il suffit de lire avec attention l'introduction et la problématique de leur texte pour identifier quelques problèmes de recherche.

Voici une liste (non exhaustive) des lacunes susceptibles d'être observées pour vous aider dans l'identification des problèmes spécifiques de recherche :

- Généralisation non appuyée par une démonstration empirique ou, plus généralement, affirmation non soutenue par une démarche scientifique ;
- Impossibilité de généraliser des conclusions par suite d'une étude trop partielle ;
- Conclusions contradictoires ;
- Des problèmes de méthode invalident les conclusions d'une recherche. Des problèmes de méthode peuvent être rencontrés soit dans le cadre opératoire (par exemple, les

variables sont mal définies ou leurs indicateurs ne sont pas valides) soit dans les méthodes d'analyse des données ;

- Lacunes dans la collecte de l'information ;
- Les résultats de recherche sont périmés ;
- Mauvaise approche théorique si bien que le problème de recherche n'est pas le bon problème.

En conclusion, rappelons simplement deux éléments particulièrement importants concernant le problème spécifique de recherche : 1) le problème dont il est question est un problème de recherche lié à une approche théorique particulière et visant à combler une ou plusieurs lacunes que l'on a constatées dans les travaux antérieurs portant sur le thème particulier à traiter ; 2) il s'agit d'une étape importante du processus de formulation du problème puisque c'est elle qui justifie la question spécifique de recherche et constitue l'unique raison d'être du travail à entreprendre.

2. Énoncer la question spécifique de recherche

Le questionnement est sans doute l'élément crucial de la recherche scientifique. Ainsi, la question de départ donne un sens, structure et oriente tout travail de recherche ; c'est pourquoi il importe de poser la bonne question à propos d'un objet d'étude donné. On doit donc formuler une question pertinente, énoncée en termes clairs et précis et à laquelle on pourra répondre compte tenu de nos connaissances sur l'objet d'étude et surtout de l'information disponible.

Il n'existe pas de recette magique sur la façon de poser une question spécifique de recherche, mais cette question sera d'autant plus facile à formuler que l'on aura travaillé minutieusement chacune des étapes antérieures de la formulation du problème.

Ainsi, pour revenir à la question de la participation électorale des jeunes, la lecture attentive de la littérature pertinente nous aura permis de découvrir que le taux de participation électorale des jeunes de 18 à 34 ans est sensiblement moins élevé que celui de la population plus âgée. Comment expliquer cet écart ? Une lecture attentive des études effectuées dans les milieux de recherche et reliées à notre thème particulier nous permet de constater une apparente contradiction dans les analyses antérieures sur ce sujet. Selon certains auteurs, les jeunes ne participent pas au vote parce qu'ils ont une attitude critique à l'égard de la démocratie représentative traditionnellement et non pas parce qu'ils ne s'intéressent pas à la politique. Ils compensent leur manque de participation conventionnelle par des activités politiques moins conventionnelles. Selon d'autres auteurs, les jeunes participent moins au vote que les gens plus âgés parce qu'ils sont moins intéressés à la politique que les gens plus âgés. Notre question spécifique de recherche est donc la suivante : «Est-ce que les jeunes qui ne participent pas au vote ont une attitude critique à l'égard de la démocratie représentative et compensent leur faible taux de participation électorale par des activités politiques différentes ou est-ce qu'ils se désintéressent de la politique en général[4]?

Bien qu'il n'existe pas de formule magique pour nous aider à formuler la question de recherche appropriée pour telle ou telle recherche spécifique, Bouma, Ling et Wilkinson (2012, p. 17) isolent tout de même deux propriétés d'une bonne question de recherche. La première est que la portée de la question soit la plus limitée possible eu égard à l'angle d'étude privilégié. Une formulation trop large entraînera des difficultés dans la construction du cadre opératoire ou alors mènera à des conclusions peu solides. L'autre propriété d'une bonne question de recherche est de porter sur des faits ou des données tangibles et observables par soi-même et par d'autres. En recherche sociale, on doit pouvoir faire des observations pour répondre à la question de recherche dans un sens ou dans l'autre.

---

4.   Notre question de recherche s'inspire de Guay, Desbiens et Dostie-Goulet (2014).

RÉSUMÉ

Principales étapes de la formulation du problème

Activités connexes

1. Choix du sujet.

   A. Justification politique et sociale du choix du sujet et identification des utilisateurs potentiels.

   B. Premier regard sur le corpus.

2. Formulation du problème général de recherche.

   A. Identification des principales dimensions du sujet.

   B. Choix du thème particulier de recherche.

3. Formulation du problème spécifique de recherche.

   A. Identification des lacunes analytiques.

   B. Énonciation de la question spécifique de recherche.

Construire la bibliographie exhaustive.

Premier examen du corpus.

1. Premier exercice de lecture : consultation systématique des ouvrages généraux.

2. Classement des principales dimensions du sujet.

Comment formuler un problème spécifique de recherche

1. Choisir le thème spécifique de recherche en justifiant son choix.

2. Lecture critique des ouvrages spécialisés sur ce thème particulier de façon à :

   • déterminer comment le thème particulier a été traité dans la littérature (concepts et approches théoriques utilisés) ;

   • déceler les problèmes ou lacunes de recherche constatés (références à l'appui).

3. Énoncer une question spécifique de recherche justifiée sur la base des lacunes constatées dans la littérature.

LISTE DES OUVRAGES CITÉS

BOUMA, Gary D., Rod LING et Lori WILKINSON (2012), *The Research Process,* 2e édition, Don Mills, ON, Oxford University Press, p. 15-20.

BOURGEOIS, Isabelle, (2016), « La formulation de la problématique » dans Benoît Gauthier et Isabelle Bourgeois (sous la direction de), *Recherche sociale, de la problématique à la collecte des données,* 6e édition, Québec, Presses de l'Université du Québec, p. 51-76.

DOWNS, Anthony (2013), *Une théorie économique de la démocratie,* Bruxelles, Éditions de l'Université de Bruxelles.

EASTON, David (1974), *Analyse du système politique,* Paris, Armand Colin.

FIRESTEIN, Stuart (2016), *Failure: why science is so successful,* Oxford/New York, Oxford University Press.

GINGRAS, François-Pierre et Catherine CÔTÉ (2016), « La théorie et le sens de la recherche » dans Benoît Gauthier et Isabelle Bourgeois (sous la direction de), *Recherche sociale, de la problématique à la collecte des données,* 6e édition, Québec, Presses de l'Université du Québec, p. 103-127.

GUAY, Jean-Herman, Anthony DESBIENS et Eugénie DOSTIE-GOULET (2014), « Le vote des jeunes : les motifs de la participation électorale ». Perspective monde, Note de recherche, mars. [En ligne]. [https://www.usherbrooke. ca/flsh/recherche/des-projets-marquants/perspective-monde/].

LUKER, Kristin (2008), *Salsa Dancing into the Social Sciences. Research in an Age of Info-glut,* Cambridge (MA)/Londres, Harvard University Press, p. 51-67.

MERTON, Robert K. (1998), *Éléments de théorie et de méthode sociologique,* Paris, Armand Colin.

NORGAARD, Asbjorn (2008), « Political Science : Witchcraft or Craftsmanship ? Standard for Good Research », *World Political Science Review,* IV, 1, p. 1-28.

OLSON, Mancur (1974), *La logique de l'action collective,* Paris, PUF.

SARTORI, Giovani, Fred W. RIGGS et Henry TEUNE (1975), *Tower of Babel. On the Definition and Analysis of Concepts in the Social Sciences,* s.l., International Studies Association, p. 7-11.

SKOCPOL, Theda (1979), *States and Social Revolutions: A Comparative Analysis of France, Russia and China,* Cambridge, Cambridge University Press.

TRUMAN, David (1951), *The Governmental Process: Political Interests and Public Opinion,* New York, Alfred Knopf.

Poser l'hypothèse

On pourrait, bien sûr, noircir de fort nombreuses pages à propos de cet élément important du processus de recherche. Mais l'objectif fixé au départ nous oblige à aller à l'essentiel. Les lecteurs pourront consulter les manuels de méthodologie au fur et à mesure qu'ils progresseront en recherche afin de compléter leurs connaissances. Pour le moment, les aspects qu'il nous paraît le plus utile d'aborder sont la définition de l'hypothèse, son rôle dans le processus de recherche, les critères qu'une bonne hypothèse doit respecter et sa vérification ou plus précisément, sa réfutation.

QU'EST-CE QU'UNE HYPOTHÈSE ?

Tous les spécialistes de méthodologie savent ce qu'est une hypothèse, mais ils ne la définissent pas toujours de la même façon. Nous ne pouvons donc reproduire une définition communément admise par tous, mais nous pouvons néanmoins en proposer une.

> L'hypothèse *peut être envisagée comme une réponse anticipée que le chercheur formule à sa question spécifique de recherche.* Brians et al. (2016, p. 29) *la décrivent comme un énoncé déclaratif précisant une relation anticipée et plausible entre des phénomènes observés ou imaginés.*

On peut saisir plus adéquatement le véritable rôle de l'hypothèse en la concevant comme un pont entre les deux parties centrales de la méthode scientifique. L'hypothèse est à la fois le résultat de la conceptualisation et le point de départ de la vérification ; elle joue ainsi le rôle d'un pont entre le travail d'élaboration théorique, dont elle constitue en quelque sorte l'aboutissement, et le travail de vérification, auquel elle fournit l'orientation générale.

Par ailleurs, l'hypothèse constitue le pivot ou l'assise centrale de tout travail scientifique. Sachant, au départ, que toute connaissance scientifique ne progresse qu'en présence d'un questionnement, ce dernier ne peut être productif que si on lui fournit une orientation de réponse éventuelle au moyen de l'hypothèse. C'est pourquoi elle est au centre du projet de recherche et du travail scientifique dans la mesure où la démonstration à structurer n'est rien d'autre que la vérification de l'hypothèse ; c'est donc l'hypothèse qui oriente et donne son sens à la démonstration. Et c'est cette propriété de l'hypothèse qui fait dire à Kerlinger et Lee (2000, p. 22) que toute recherche scientifique, même simplement exploratoire, devrait comporter au moins une hypothèse minimale.

Il faut donc retenir que le concept constitue l'élément de base de la méthode scientifique, mais que l'hypothèse est le pivot de tout travail de recherche puisqu'elle fournit l'orientation générale de ce travail.

L'hypothèse établit donc une *relation* qu'il nous faudra vérifier en la comparant aux faits. C'est une relation qui sera établie entre les concepts ou, plus généralement, entre des attributs de concepts qui représentent et servent à décrire les phénomènes observés. Les auteurs distinguent habituellement les concepts opératoires, termes clés contenus dans l'hypothèse, des concepts théoriques, utilisés dans la formulation du problème de recherche. Car la relation entre les phénomènes, désignés par des concepts, que l'on pose dans l'hypothèse doit déjà être plus précise et plus immédiatement observable que celle établie au moment de la formulation du problème.

Supposons que la formulation du problème de recherche nous ait amenés à énoncer une question spécifique sur le lien possible entre la dépendance d'un État A envers un État B et la conformité de politique étrangère entre ces deux mêmes États. Nous postulons alors une relation entre deux concepts ou termes clés que l'on peut représenter de la façon suivante :

Dépendance   ————————▶   Conformité de politique étrangère

La flèche qui relie les deux concepts peut s'interpréter comme signifiant que la dépendance observée est associée à la conformité observée ; elle peut aussi s'interpréter comme signifiant que la dépendance cause la conformité, ce qui est bien sûr passablement différent. Nous reviendrons sur la distinction entre lien d'association et lien de causalité dans la prochaine section.

Pour le moment, contentons-nous de constater que les concepts théoriques de dépendance et de conformité sont trop abstraits pour faire l'objet d'une recherche empirique ; il faut donc les transformer en concepts opératoires, ou en termes clés plus précis, à l'étape de la structuration de l'hypothèse. La construction du concept opératoire consiste alors à désigner des sous-concepts qui seront généralement des propriétés ou des attributs plus concrets du concept central. La relation établie à l'étape de la formulation du problème pourra donc être transformée et concrétisée au moment d'énoncer l'hypothèse de la façon suivante :

Dépendance économique ⟶ Appui à la politique étrangère de l'État dominant

L'hypothèse peut être formulée ainsi : un haut niveau de dépendance économique d'un État envers un autre État est susceptible d'entraîner de la part du premier un appui à la politique étrangère du second.

La dépendance économique, qui est une dimension de la dépendance en général, concrétise alors le premier concept central, tandis que l'appui, qui est un attribut de la conformité, précise le second concept théorique. Mais ces concepts opératoires sont encore trop larges pour faire l'objet d'une recherche empirique, il nous faudra donc les préciser au moyen de variables et d'indicateurs à l'étape de la construction du cadre opératoire.

HYPOTHÈSE DESCRIPTIVE ET HYPOTHÈSE CAUSALE

L'hypothèse liant la dépendance économique à l'appui à la politique étrangère appartient à la catégorie des hypothèses descriptives par opposition aux hypothèses causales.

> *Une* hypothèse descriptive *établit une relation entre variables sans chercher à en expliquer les causes.*

Pour vérifier l'hypothèse descriptive, le chercheur doit simplement montrer que les données covarient de manière régulière et systématique, et non pas au hasard.

> *En plus de la covariation des données, l'*hypothèse causale *cherche à expliquer pourquoi on observe une relation donnée plutôt qu'une autre.*

En plus de démontrer que les données covarient, l'hypothèse causale doit satisfaire trois conditions supplémentaires. Premièrement, il doit y avoir une théorie causale permettant de prédire la covariation entre les données. Nous plaçons cette condition en premier pour bien illustrer son importance essentielle dans un projet de recherche en sciences sociales. De nos jours, tout article scientifique soumis à une publication avec comité de pairs a fort peu de chances d'être accepté pour publication s'il ne livre pas une revue détaillée et exhaustive des recherches théoriques menées antérieurement sur la relation causale à l'étude. Deuxièmement, la variable indépendante précède logiquement et chronologiquement la variable dépendante. Troisièmement, on doit montrer que la relation entre les variables de l'hypothèse n'est pas fallacieuse, c'est-à-dire qu'elle ne résulte pas de l'influence d'une variable ne figurant pas dans l'hypothèse.

Une stratégie de recherche efficace pour tester une hypothèse causale est la recherche expérimentale qui consiste à comparer le comportement d'un groupe expérimental qui reçoit une intervention (par exemple, un nouveau médicament) avec celui d'un groupe de contrôle qui reçoit un placebo. La recherche expérimentale est décrite à la cinquième étape. Une autre méthode largement utilisée pour tester des hypothèses causales en sciences sociales est l'enquête statistique multivariée décrite elle aussi à la cinquième étape. Une troisième façon de tester les hypothèses causales est l'analyse contrefactuelle. Cette méthode imagine des situations virtuelles qui auraient pu se produire si le facteur dont on cherche à mesurer l'effet ne s'était pas produit. Nous reviendrons à la méthode contrefactuelle à la septième étape.

Les hypothèses descriptives ont pour but d'orienter le travail de recherche ultérieur. Une hypothèse descriptive est amenée à se transformer au fur et à mesure de la progression d'une recherche de manière à produire en fin de parcours une hypothèse causale.

HYPOTHÈSE INDUCTIVE ET HYPOTHÈSE DÉDUCTIVE

Pour mieux comprendre comment on passe de l'hypothèse descriptive (aussi appelée hypothèse de recherche) au début du processus à l'hypothèse causale (aussi appelée hypothèse théorique) à la fin du processus, il est utile d'associer la première à l'approche inductive et la seconde à l'approche déductive (Loubet del Bayle, 2000).

> L'approche inductive *part des faits particuliers pour arriver à des lois générales.*

L'approche inductive repose sur l'observation des faits et mène à une hypothèse pour rendre compte de ce qu'on observe. Le cas de la pomme tombant à terre qu'observe Isaac Newton est un exemple fameux d'hypothèse inductive : l'observation de la pomme tombant à terre est l'illustration particulière d'une loi générale ; la loi de la gravité universelle. Les moineaux des Galapagos qu'a observés Charles Darwin sont un autre exemple d'hypothèse inductive : les variations dans la forme anatomique des becs des moineaux d'une île à l'autre sont une illustration particulière de la loi générale de l'évolution des espèces. Notez toutefois que ces lois se contentent de généraliser sans vraiment expliquer de manière causale ce qui est observé.

> L'approche déductive *suit la démarche inverse de l'approche inductive, partant d'une hypothèse théorique très générale pour l'appliquer à des cas particuliers de manière à expliquer ces cas particuliers.*

Les hypothèses inductives d'Isaac Newton et de Charles Darwin sont des hypothèses de recherche, posées au début de processus de recherche longs et laborieux qui ont en fin de compte mené à des hypothèses théoriques générales : la théorie générale de la relativité d'Albert Einstein, d'une part, et à la théorie de la sélection naturelle, d'autre part. Même si à l'étape présente nous avons affaire à l'hypothèse de recherche plus prosaïque et moins exaltante que l'hypothèse déductive finale, il faut dès maintenant penser à ce que cette hypothèse déductive sera au final. Il est donc important de soigneusement préparer notre hypothèse de recherche inductive au début du processus de recherche dans l'espoir qu'elle conduira à l'hypothèse théorique exaltante à une étape ultérieure. Pour ce faire, nous devons nous assurer que notre hypothèse de recherche respecte un certain nombre de critères.

QUELS SONT LES CRITÈRES QU'UNE BONNE HYPOTHÈSE DOIT RESPECTER ?

En raison de son importance dans le travail de recherche, on conviendra facilement qu'il faut apporter un soin méticuleux à la formulation de l'hypothèse et donc qu'il faut respecter un certain nombre de règles ou d'attributs qui permettront la meilleure formulation possible de l'hypothèse et, ce faisant, faciliteront d'autant la progression du travail de vérification. Les ouvrages de méthodologie énoncent entre autres les règles suivantes.

Une hypothèse doit être plausible, c'est-à-dire qu'elle doit avoir un rapport assez étroit avec le phénomène qu'elle prétend expliquer. Mais ce rapport ne peut être parfait, car, possédant alors une certitude ou une vérité scientifique, il ne serait pas nécessaire de formuler une hypothèse ! Une hypothèse ne doit pas servir à démontrer une vérité évidente, elle doit plutôt laisser place à un certain degré d'incertitude. Ainsi, il ne sert à rien de poser comme hypothèse que l'eau gèle à 0 °C puisque ce fait a déjà été vérifié de façon concluante. À l'inverse, il est possible de formuler des hypothèses à propos de relations que plusieurs considèrent évidentes, mais qui n'ont jamais été vérifiées complètement.

La plausibilité de l'hypothèse fait également référence à sa *pertinence par rapport au phénomène étudié.* Pour déterminer cette pertinence, il faut avoir lu beaucoup sur le ou les phénomènes que nous voulons étudier parce que l'aptitude à formuler une hypothèse pertinente est directement proportionnelle à la connaissance que nous aurons acquise sur l'objet d'étude. Autrement dit, mieux nous connaîtrons notre objet, plus nous aurons de chance de poser une hypothèse pertinente à son propos. Et seule une lecture approfondie nous permettra de bien connaître cet objet.

Une hypothèse doit être *vérifiable* c'est-à-dire qu'elle doit pouvoir être soumise à l'examen des faits pour pouvoir vérifier son exactitude. Il ne sert à rien de poser une hypothèse sur le sexe des anges puisque nous ne pourrons jamais vérifier dans les faits que les anges sont uniquement masculins (comme le veut la doctrine) vu l'absence d'informations concrètes sur le sujet. L'information factuelle devient donc un critère déterminant dans la vérification de l'hypothèse.

Une hypothèse doit être précise. Ainsi, sa formulation doit éviter toute ambiguïté et toute confusion quant au choix des concepts ou des termes clés utilisés et à la relation postulée à cette étape. Les termes clés de l'hypothèse doivent être suffisamment précis et représenter le plus adéquatement possible les phénomènes ou les dimensions des phénomènes à l'étude ; la relation postulée entre ces phénomènes doit aussi être spécifique et éviter toute forme d'ambiguïté.

Une hypothèse doit être communicable. Elle doit être comprise d'une seule et même façon par tous les chercheurs, car le contrôle ultime du travail scientifique consiste en ce que quelqu'un d'autre puisse reproduire, pour les vérifier, les différentes étapes de notre démonstration. Pour ce faire, il lui faut donc, au départ, avoir compris exactement ce que nous voulions démontrer. D'où l'importance de bien saisir le sens et la portée de notre hypothèse.

COMMENT FORMULER ET VÉRIFIER UNE HYPOTHÈSE ?

En recherche scientifique, il faut vérifier le plus objectivement et le plus méticuleusement possible l'hypothèse sur laquelle s'appuie la recherche. Le processus de vérification dont il est question est une version très édulcorée de la démarche exigeante de falsification d'hypothèse telle que l'envisage le philosophe des sciences Karl Popper (1973). Selon Popper, on ne peut jamais confirmer une hypothèse, parce qu'on ne peut jamais prouver qu'elle est vraie ou fausse. Le mieux qu'on peut faire est d'accumuler les preuves démontrant que le contraire de l'hypothèse qui est posée est probablement faux. Rares sont les travaux en sciences sociales qui parviennent à un degré satisfaisant de falsification d'hypothèse à la Popper. Mais cela ne veut pas dire qu'il ne faut pas chercher à être rigoureux. Vérifier une hypothèse, au sens où nous l'entendons ici, c'est pouvoir la confirmer ou l'infirmer (Van Campenhoudt et Quivy 2011). *Confirmer une hypothèse,* c'est retrouver dans les faits observés le lien posé en hypothèse. *Infirmer une hypothèse revient à* constater, après analyse des données, que la relation posée en hypothèse ne se retrouve pas dans les faits observés. Pour qu'une hypothèse soit vérifiable, il faut s'assurer d'inclure dans sa formulation l'élément de preuve permettant de dire si l'hypothèse est vérifiée ou non. Cet élément de preuve s'appelle *l'hypothèse nulle* (souvent écrite HO par opposition à l'hypothèse posée qui s'écrit H1 pour la première hypothèse, H2 pour la deuxième hypothèse et ainsi de suite si plusieurs hypothèses rivales sont proposées). L'hypothèse nulle HO est l'opposé de l'hypothèse H1. L'hypothèse est formulée par l'affirmation qu'il y a une différence; l'hypothèse nulle étant l'opposé de l'hypothèse, elle se formule donc par l'affirmation qu'il n'y a pas de différence et que la relation posée par l'hypothèse ne tient pas. Ainsi l'hypothèse nulle niant l'affirmation selon laquelle un haut niveau de dépendance économique entraîne un appui de politique étrangère se formule comme suit: un haut niveau de dépendance économique n'entraîne pas un appui de politique étrangère.

Pour retourner à la question spécifique de recherche de l'étape précédente concernant la faible participation électorale de jeunes, on pose l'hypothèse (H1) que les jeunes participent moins aux élections parlementaires parce qu'ils s'intéressent moins à la politique en général que les gens plus âgés. L'hypothèse nulle correspondant à H1 est que les jeunes ne s'intéressent pas moins à la politique que les gens plus âgés. On peut également poser l'hypothèse H2 que les jeunes participent moins aux élections parlementaires parce qu'ils compensent leur manque de participation par une participation plus active dans des activités politiques moins conventionnelles. L'hypothèse nulle correspondant à H2 est que les jeunes qui ne participent pas à la politique de manière conventionnelle n'y participent pas non plus de manière non conventionnelle.

La recherche mènera soit à une confirmation de l'hypothèse, c'est-à-dire à un rejet de l'hypothèse nulle, soit à une infirmation de l'hypothèse, parce que l'hypothèse nulle ne peut pas être rejetée. Quoi qu'il en soit, au moment de poser l'hypothèse, le chercheur doit également poser l'hypothèse nulle de manière à lui permettre de baliser son élément de preuve avant même d'entamer sa recherche proprement dite. Encore une fois l'hypothèse nulle est le contraire de l'hypothèse. Elle doit pratiquement couler de source une fois l'hypothèse posée. Si le chercheur éprouve de la difficulté à formuler l'hypothèse nulle, il y a fort à parier que son hypothèse n'a pas été formulée correctement.

L'hypothèse ne saurait être confirmée uniquement sur la base de quelques données alignées comme preuve de l'existence de la relation postulée. Au contraire, on ne pourra affirmer que l'hypothèse est confirmée que dans la mesure où aucune des données recueillies ne l'invalide. Pour renforcer cette attitude de doute que l'on doit constamment maintenir à l'égard de ses propres énoncés ou de sa démonstration, certains chercheurs gardent toujours à l'esprit les hypothèses nulles et les hypothèses rivales. Ce sont en quelque sorte des explications contraires ou différentes de celles que l'on postule et dont la présence renforce l'attitude de recul que l'on doit adopter à l'égard de nos données afin de les analyser le plus objectivement possible.

RÉSUMÉ

1. L'hypothèse est une réponse anticipée à la question spécifique de recherche. C'est un énoncé déclaratif qui précise une relation anticipée entre des phénomènes observés ou imaginés, en lien avec l'approche théorique choisie.

2. L'hypothèse est le résultat de la formulation du problème et le point de départ de la vérification. Elle constitue ainsi un pont entre ces deux grandes parties de la recherche et forme la pierre angulaire de tout travail de recherche.

3. Les quatre principaux critères qu'une hypothèse doit respecter sont : 1) la plausibilité ; 2) la vérifiabilité ; 3) la précision et 4) la communicabilité.

4. Une hypothèse ne se vérifie qu'en tentant de l'infirmer, c'est-à-dire en démontrant qu'on ne peut pas rejeter l'hypothèse nulle.

Comment formuler une hypothèse

1. S'assurer d'avoir posé une question spécifique pertinente reliée à l'objet d'étude (compte tenu de la formulation du problème et en lien avec la théorie) et avoir bien compris le sens de cette question.

2. Se rappeler que l'hypothèse est la réponse anticipée à la question spécifique de recherche et qu'elle doit donc en découler logiquement.

3. Formuler une proposition en s'assurant que le verbe utilisé traduise bien le sens de la proposition (une hypothèse n'est pas une question).

4. Déterminer les concepts opératoires ou termes clés de l'hypothèse qui seront transformés en variables.

LISTE DES OUVRAGES CITÉS

BRIANS, Craig L., Lars WILLNAT, Jarod B. MANHEIM et Richard C. RICH, (2013), *Empirical Political Analysis, Research Methods in Political Science*, 8e édition, New-York, Routledge.

KERLINGER, Fred N. et Howard B. LEE (2000), *Foundations of Behavioral Research*, 4e édition, Fort Worth, Woodworth Publishing Company.

LOUBET DEL BAYLE, Jean-Louis (2000), *Initiation aux méthodes en sciences sociales*, Paris, L'Harmattan, p. 177-186.

POPPER, Karl R. (1973), *La Logique de la découverte scientifique* (1935) tr. fr., Paris, Payot.

VAN CAMPENHOUDT, Luc et Raymond QUIVY (2011), *Manuel de recherche en sciences sociales*, 4e édition revue et augmentée, Paris, Dunod, p. 109-140.

Construire un cadre opératoire

Après avoir identifié la question de recherche et formulé l'hypothèse, qui est en quelque sorte la réponse anticipée à la question de recherche, il nous faut maintenant construire le cadre opératoire (ou cadre d'analyse) qui orientera la recherche à venir. C'est l'étape fondamentale du processus de recherche puisque le cadre opératoire nous oblige à préciser ce qu'il nous faut observer et comment mesurer/évaluer ce qui sera observé afin de pouvoir vérifier l'hypothèse.

Le cadre opératoire se construit en tenant compte *à la fois* de la théorie et des particularités du cas ou des cas que nous voulons étudier. Comme les conclusions de toute étude scientifique doivent permettre de dire quelque chose à propos du cadrage théorique dans lequel elle se situe, nous devons d'abord nous référer à la théorie pour nous aider à sélectionner les éléments du cadre opératoire. En nous inspirant de l'approche théorique retenue au moment du choix du thème spécifique de recherche (et utilisée aussi pour la formulation de la question et de l'hypothèse), nous nous assurons en effet de lier adéquatement nos variables et indicateurs à l'approche sélectionnée. Ce faisant, nous participons à la «conversation» (Booth, Colomb et Williams, 1995, p. 6-7) de la communauté des chercheurs intéressée à notre objet d'étude en apportant quelque chose de nouveau ou de différent à la discussion théorique sur le sujet.

Cependant, il ne faut pas regarder exclusivement du côté de la théorie pour construire son cadre opératoire, car le caractère universel des concepts ne permet pas d'appliquer ces derniers de façon automatique à chaque cas étudié. C'est pourquoi il faut examiner aussi les particularités du cas étudié afin d'adapter la théorie à la réalité du cas étudié en particulier lorsque les concepts sont définis avec peu de précision. Prenons l'exemple du concept de participation politique. Celle-ci peut prendre des formes différentes selon les régions du monde ou selon les pays. On doit donc tenir compte de ces particularités dans le choix des variables et des indicateurs ce qui, ce faisant, permet d'enrichir le concept.

Le cadre opératoire constitue donc un outil précieux pour mener à bien une recherche. Il sera d'autant plus efficace si sa construction résulte d'un bon équilibre entre considérations théoriques et considérations empiriques. Aucune recette magique ne permet d'arriver à cet équilibre ni au niveau approprié de spécification des référents empiriques (Gerring, 2012). Mais les chances d'y arriver seront d'autant plus grandes que nous aurons une connaissance approfondie du sujet.

POURQUOI CONSTRUIRE UN CADRE OPÉRATOIRE ?

La fonction principale de l'hypothèse étant d'établir un pont entre la réflexion théorique de la formulation du problème et le travail empirique d'expérimentation ou de vérification, l'hypothèse constitue ainsi l'amorce de l'opérationnalisation puisqu'elle concrétise la relation abstraite énoncée à la fin de la formulation du problème, c'est-à-dire qu'elle transforme les concepts théoriques de la question de recherche en des concepts opératoires.

Ainsi, pour reprendre l'exemple de la conformité des politiques étrangères, l'hypothèse nous a permis de substituer aux concepts théoriques de dépendance et de conformité, les concepts opératoires de dépendance économique et d'appui à la politique étrangère.

Ces concepts opératoires, qui sont en réalité des dimensions ou des attributs des concepts plus larges et plus abstraits de dépendance et de conformité, concrétisent la relation analytique que nous désirons étudier en nous permettant de repérer ou de circonscrire plus facilement les faits observables qu'il nous faudra analyser pour vérifier cette relation analytique.

L'hypothèse nous permet donc de réduire l'abstraction, mais ne nous autorise toutefois pas à amorcer immédiatement l'analyse. En effet, les concepts opératoires de l'hypothèse demeurent des référents empiriques trop larges pour que l'on puisse mener à bien l'observation puisqu'ils ne nous permettent pas encore d'isoler concrètement les faits observables qu'il faudra traiter pour effectuer l'analyse. Ainsi, la dépendance économique, premier concept opératoire dans notre exemple d'hypothèse, est un phénomène observable qui comporte lui-même plusieurs dimensions. En effet, la dépendance économique peut être étudiée au moyen de la dépendance financière, de la dépendance commerciale, de la dépendance sur le plan de l'aide au développement, etc. Il en va de même pour le concept opératoire d'appui à la politique étrangère qui peut se manifester par des formes très variées dans les domaines militaire, économique, politique ou diplomatique. On ne peut analyser toutes ces dimensions et sous-dimensions parce qu'elles ne sont pas toujours toutes pertinentes pour vérifier la relation analytique postulée et aussi à cause de la somme de travail que cela implique. C'est alors qu'intervient le cadre opératoire qui constitue l'étape intermédiaire et essentielle entre l'hypothèse et le travail empirique d'analyse.

> *Le* cadre opératoire *forme un élément central du projet de recherche et du travail de recherche dans la mesure où il spécifie ce que nous allons analyser précisément pour vérifier notre hypothèse. Car une vérification d'hypothèse ou une démonstration scientifique, quelle qu'elle soit, doit être réalisée le plus précisément et le plus logiquement possibles. Le cadre opératoire assure cette logique et cette précision de la démonstration en fournissant les référents empiriques les plus concrets et les plus fidèles possible, au moyen de la construction des variables et des indicateurs, pour orienter l'ensemble de la vérification de l'hypothèse.*

On construit donc un cadre opératoire pour faciliter la recherche à réaliser. En nous obligeant à déterminer dès le départ ce que nous devons observer (le quoi, les variables) et comment nous devons faire l'observation (le comment, les indicateurs) pour vérifier l'hypothèse, le cadre opératoire agit comme une sorte de feuille de route pour nous guider dans le travail à faire. Une fois le cadre opératoire en place, les choix analytiques ont été faits et nous pouvons procéder aux étapes suivantes de la recherche sans nous demander chaque fois comment faire l'analyse.

DU CONCEPT À LA VARIABLE

On aura déjà probablement compris que toute la logique sous-tendant le passage de la question de recherche à l'hypothèse et au cadre opératoire prend la forme d'un exercice de précision qui va du général au particulier ou du plus large (abstrait) au plus étroit (concret) un peu à la manière d'un entonnoir. Les concepts opératoires de l'hypothèse précisent et rendent plus concrets les concepts théoriques contenus dans la question de recherche, tandis que les variables et les indicateurs du cadre opératoire jouent un rôle semblable à l'égard des concepts opératoires de l'hypothèse. Ainsi, le cadre opératoire contribue doublement à la précision et au développement logique de l'ensemble de la démonstration puisqu'il ajoute deux niveaux de spécification en construisant deux types de référents empiriques que sont la variable et l'indicateur.

Le cadre opératoire fournit donc un premier niveau de précision par rapport à l'hypothèse en construisant des variables.

> *Une* variable *est un regroupement logique d'attributs ou de caractéristiques qui décrivent un phénomène observable empiriquement. Elle identifie le « quoi », la ou les dimensions du concept à observer pour vérifier l'hypothèse.*

Ainsi, la variable sexe regroupe deux, et seulement deux, attributs (masculin et féminin) ; la variable nationalité a un nombre fini d'attributs fixés arbitrairement en fonction des besoins du chercheur (par exemple les Italiens, les Anglais et les Finlandais) ; tandis que la variable taille des individus regroupe un nombre potentiellement infini d'attributs (ici des valeurs numériques) puisqu'on peut toujours préciser ces valeurs en poussant à la prochaine décimale.

Certains concepts peuvent être suffisamment précis pour devenir automatiquement des variables (par exemple, le sexe), tandis que d'autres doivent subir une transformation avant de servir de guide pour l'analyse. Par exemple le concept *théorique* de démocratie se définit en termes de plusieurs concepts opératoires, tels que la compétition entre partis politiques, le leadership du gouvernement, la politisation des débats, la participation de la population, etc. Chacun de ces concepts opératoires peut et doit lui-même être précisé en termes de variables. Ainsi, le concept *opératoire* de Compétition entre les partis couvre plusieurs variables possibles, par exemple, le nombre de partis politiques en compétition ou la distance idéologique entre les partis (plus le nombre des partis est élevé et plus la distance idéologique entre partis est élevée, plus la compétition est supposée intense). Ces variables doivent enfin être mesurées à l'aide d'indicateurs. Ainsi un indicateur possible de la variable «distance idéologique entre les partis» consiste à attribuer un score à chaque parti politique sur une échelle droite-gauche en se basant sur les opinions d'un échantillon d'experts. Un autre indicateur de la même variable consiste à attribuer des scores idéologiques à chaque parti en se basant sur des analyses de contenu de leurs programmes électoraux.

La variable est donc un instrument de précision ou de spécification qui permet de traduire des énoncés contenant des concepts opératoires en des énoncés possédant des référents empiriques plus précis de façon à permettre de vérifier empiriquement des énoncés abstraits. Autrement dit, elle permet de reproduire d'une manière plus concrète la relation établie en hypothèse et joue un rôle central dans le processus de recherche, dans la mesure où elle aide à déterminer ce qu'il faudra observer précisément pour vérifier l'hypothèse en même temps qu'elle permet déjà de commencer à organiser l'information selon la relation logique établie en hypothèse.

Distinction entre variable et unité d'analyse

Comme nous l'avons vu plus haut, la variable est un regroupement d'attributs ou caractéristiques qui décrivent un objet un groupe ou une personne.

> *L'*unité d'analyse, *qu'on appelle aussi unité d'observation, est l'objet, le groupe ou la personne dont le chercheur étudie les caractéristiques.*

Pour clairement distinguer l'unité d'analyse et les variables dans une hypothèse, il suffit souvent de distinguer les acteurs agissant des attributs qui caractérisent ces acteurs. Ainsi, dans l'hypothèse affirmant que l'espérance de vie des Québécois varie en fonction de leur appartenance ethnique, l'unité d'analyse est « les Québécois » en tant qu'individus ; l'espérance de vie et l'appartenance ethnique sont les variables. Parfois, la distinction entre unité d'analyse et variable est moins claire. Par exemple, dans l'hypothèse selon laquelle les films hollywoodiens ont tendance à présenter des acteurs plus musclés que les films européens, l'unité d'analyse est « les films » ; tandis que les acteurs sont une variable de l'hypothèse et les attributs de cette variable sont les niveaux de musculature.

Une autre précaution consiste à s'assurer que la même unité d'analyse sert à poser l'hypothèse et à tester celle-ci. Supposons qu'on pose l'hypothèse que les automobiles ayant subi une inspection mécanique sont moins susceptibles de causer des accidents mortels sur la route que les automobiles n'ayant pas subi d'inspection mécanique et que l'on teste cette hypothèse en séparant les pays dans notre échantillon en deux groupes : avec et sans inspections mécaniques. Supposons également que les données révèlent que les pays avec inspections ont des taux d'accidents mortels sur la route très inférieurs aux taux des pays sans inspections. Peut-on déclarer que l'hypothèse est vérifiée ? Pas à strictement parler. La raison tient au fait qu'on a choisi les pays, c'est-à-dire des collectivités, comme unité d'analyse pour tester l'hypothèse alors que cette dernière est libellée en termes d'automobiles individuelles. Ce faisant on risque de commettre *l'erreur écologique* qui consiste à tirer des conclusions individuelles à partir d'évidences collectives. Même si l'on trouve que les pays sans inspection ont des taux d'accidents mortels sur la route très supérieurs à ceux des pays avec inspection, cela ne prouve pas nécessairement que les véhicules sans inspection sont plus souvent causes d'accidents que les véhicules inspectés.

Relation logique entre les variables

Il faut bien comprendre le rôle central joué par la variable dans le processus de recherche et savoir que cette variable peut prendre des connotations différentes selon la place qu'elle occupe dans l'arrangement logique de la relation supposée. Selon le cas, il peut en effet y avoir plusieurs sortes de variables dont les plus communes sont les variables dépendantes et les variables indépendantes. Il convient aussi d'étudier le rôle des variables intermédiaires (ou intervenantes) et des variables antécédentes.

> *Une* variable dépendante *est une variable dont la valeur varie en fonction de celle des autres. C'est la partie de l'équation qui varie de façon concomitante avec un changement ou une variation dans la variable indépendante. C'est l'effet présumé dans une relation de cause à effet et, en recherche expérimentale, c'est la variable qu'on ne manipule pas, mais qu'on observe pour évaluer l'impact sur elle des changements intervenus chez les autres variables. Dans une relation analytique postulée, on pourrait dire que la variable dépendante est l'élément que nous cherchons à expliquer tandis que la variable indépendante est le facteur explicatif.*

Dans l'exemple d'hypothèse liant la dépendance économique à l'appui diplomatique, la relation postulée peut être schématisée de la façon suivante :

Dépendance économique ⟶ Appui à la politique étrangère de l'État dominant

Ainsi, nous supposons et voulons vérifier l'hypothèse selon laquelle un État A économiquement dépendant d'un autre État B aura tendance à appuyer, dans son comportement extérieur, la politique étrangère de l'État B. Cet appui à la politique étrangère de l'État B forme donc la partie de l'équation qui est l'effet présumé à l'intérieur de la relation postulée. Mais ce concept opératoire, Appui à la politique étrangère de l'État B, n'est pas suffisamment concret pour orienter la recherche, puisque l'appui en question peut prendre des formes très diverses. Il faut donc choisir une ou quelques dimensions de cet appui qui deviendront la ou les variables dépendantes capables d'orienter empiriquement la recherche. À noter que ce choix, tout comme celui des autres variables et des indicateurs, est généralement motivé (et donc justifié) par l'importance que la littérature sur le sujet et la théorie accordent à cet élément. Une des façons dont l'appui à la politique étrangère peut se manifester et être observé, selon la littérature et parce que les données sont disponibles, est la participation aux organisations internationales et en particulier à l'Organisation des Nations Unies (ONU). Par conséquent, nous pouvons commencer à transformer notre hypothèse et à construire notre cadre opératoire de la façon suivante :

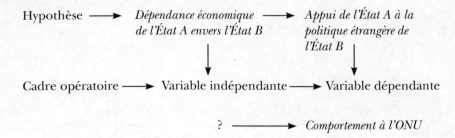

La variable dépendante Comportement à l'ONU, qui est une dimension ou un attribut du concept Appui à la politique étrangère, précise et concrétise ce concept opératoire de l'hypothèse.

> *Une* variable indépendante *est une variable dont le changement de valeur influe sur celui de la variable dépendante.*

Lorsque nous postulons une relation de cause à effet (peu courant en sciences sociales), la variable indépendante est alors la cause de l'effet présumé. En recherche expérimentale, c'est la ou les variables que les chercheurs manipulent pour en étudier l'influence sur la variable dépendante.

Dans notre exemple, la variable indépendante fait référence à cette partie de l'équation portant sur la dépendance économique. De la même façon que pour l'Appui à la politique étrangère, le concept opératoire demeure trop large pour orienter la recherche empirique parce qu'il comporte plusieurs dimensions qui ne peuvent être toutes étudiées en même temps. Il convient donc de faire un choix parmi les différentes dimensions du phénomène de dépendance économique. Supposons que nous voulions nous en tenir à l'étude de la dépendance commerciale et de la dépendance financière (parce que la théorie nous dit que ce sont des facteurs centraux dans cette relation analytique), nous pouvons alors compléter le schéma précédent de la façon suivante :

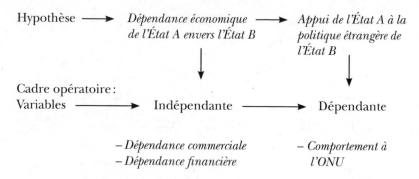

Nous venons ainsi d'isoler deux variables indépendantes pour analyser de manière plus précise le phénomène de dépendance économique de façon à vérifier la relation postulée dans notre hypothèse entre les concepts opératoires Dépendance économique et Appui à la politique étrangère.

> *Une* variable intermédiaire *est une variable qu'il faut parfois introduire dans le cadre opératoire parce qu'elle conditionne la relation entre la variable indépendante et la variable dépendante. C'est un élément alors obligatoire de l'équation qui permet de qualifier ou de préciser la relation reproduite dans le cadre opératoire.*

Reprenons, par exemple, notre hypothèse liant la dépendance commerciale et le comportement d'appui diplomatique à l'ONU. Il est bien évident que la dépendance économique n'influence pas directement le comportement d'appui diplomatique. La dépendance commerciale d'un pays n'est pas une entité tangible capable d'exercer une pression concrète sur le comportement du gouvernement (ou des représentants diplomatiques) de ce pays. Notre hypothèse est donc incomplète tant que nous n'aurons pas incorporé au moins un élément qui permette de traduire concrètement, et de façon vraisemblable, l'influence exercée par la dépendance commerciale sur le comportement d'appui diplomatique. Il est possible que le gouvernement d'un pays commercialement dépendant soit incité, par anticipation rationnelle, à appuyer diplomatiquement la politique étrangère du pays dominant. Un scénario beaucoup plus vraisemblable consiste à considérer le rôle des groupes de pression organisés représentant les industries les plus susceptibles de souffrir d'une interruption des liens commerciaux avec le pays dominant. Le lobbying de ces groupes de pression constitue le chaînon manquant dans une nouvelle hypothèse:

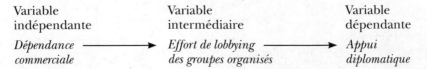

Variable indépendante	Variable intermédiaire	Variable dépendante
Dépendance commerciale →	*Effort de lobbying des groupes organisés* →	*Appui diplomatique*

Notre nouvelle hypothèse n'affirme pas que la dépendance commerciale, à elle seule, provoque le comportement d'appui diplomatique, mais plutôt que les groupes de pression organisés représentant les industries commercialement dépendantes (les plus susceptibles de souffrir d'une interruption des liens commerciaux avec le pays dominant) exercent des pressions: 1) pour forcer leur gouvernement à adopter un comportement d'appui diplomatique à l'ONU et 2) pour maintenir et même augmenter la dépendance commerciale (dont ces industries bénéficient). Par hypothèse, c'est parce que les groupes organisés exercent ces pressions qu'on observe une relation entre dépendance commerciale et comportement d'appui diplomatique à l'ONU. La variable intermédiaire établit par conséquent une relation causale entre la variable indépendante et la variable dépendante.

> Une variable intermédiaire peut parfois jouer le rôle de variable antécédente. *Une* variable antécédente *est une variable qui agit avant la variable indépendante dans une chaîne causale. Une variable antécédente peut rendre caduque (donc fallacieuse) la relation espérée entre la variable indépendante et la variable dépendante.*

Ainsi, des résultats de recherche publiés il y a plusieurs années avaient établi un lien étroit entre la consommation de café et l'incidence de maladies cardiovasculaires. L'équation postulée était alors la suivante:

Variable indépendante	Variable dépendante
Consommation de café →	*Maladies cardiovasculaires*

Une autre équipe de recherche a repris les mêmes données et a introduit une variable intermédiaire, en l'occurrence la consommation de tabac, pour modifier l'équation de la façon suivante:

Les chercheurs de la deuxième équipe ont tout simplement réparti les sujets testés selon leur niveau de consommation de tabac et sont arrivés à la conclusion que la consommation de tabac déterminait à la fois le niveau de consommation de café et l'incidence de maladies cardiovasculaires. Autrement dit, l'association observée par la première équipe de chercheurs entre l'incidence des maladies cardiovasculaires et la consommation de café n'était que l'effet apparent d'une relation causale liant les maladies cardiovasculaires *et* la consommation de café à la consommation de tabac. Le lien causal entre consommation de café et incidence des maladies cardiovasculaires disparaissait une fois qu'on introduisait la variable consommation de tabac dans l'équation.

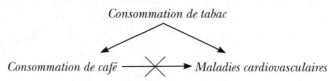

Cet exemple montre bien que l'introduction d'une variable antécédente (consommation de tabac) non seulement précise une relation entre variable dépendante (maladies cardiovasculaires) et variable indépendante (consommation de café), mais qu'elle peut également nuire à cette relation en la rendant caduque (ou fallacieuse).

> On regroupe habituellement les variables intermédiaires et les variables antécédentes sous le vocable commun de *variables de contrôle*. Comme son nom l'indique, *une* variable de contrôle *est une variable dont l'effet doit être contrôlé (en le gardant constant) dans l'examen d'une relation entre variable indépendante et variable dépendante.* La recherche de variables de contrôle est un exercice incontournable lorsqu'on a affaire à une hypothèse causale qui postule que la variable indépendante est la cause de l'effet présumé (la variable dépendante).

Comme nous l'avons vu à l'étape de l'hypothèse, pour tester une hypothèse causale, on doit s'assurer qu'en plus de la présence d'une covariation entre les données, notre cadre opératoire remplit trois conditions. En premier lieu, il convient de vérifier que l'approche théorique sur la base de laquelle on construit le cadre opératoire permet de postuler une relation causale. Cet exercice de vérification passe le plus souvent par l'identification d'une ou de plusieurs variables intermédiaires. La théorie permet souvent d'établir le sens de la causalité (Norgaard, 2008, p. 7). Ensuite, le cadre opératoire doit établir que la cause (la variable indépendante) précède logiquement ou chronologiquement l'effet escompté (la variable dépendante). La dernière condition est qu'on puisse éliminer les effets tiers potentiellement nuisibles de façon à établir l'absence de relation fallacieuse entre variable indépendante et variable dépendante. Pour s'en assurer, il convient d'introduire, le cas échéant, une ou plusieurs variables antécédentes dans l'équation. Ces conditions, il faut le répéter, ne garantissent pas la causalité, mais elles fournissent des indices sérieux sur lesquels on peut se baser pour affirmer de manière convaincante qu'il y a une relation causale.

La formation des variables constitue donc la première étape de la construction du cadre opératoire. En déterminant un premier niveau de précision des concepts opératoires contenus dans l'hypothèse, les variables permettent de franchir une première étape dans l'opérationnalisation de ces concepts et sont un premier pas vers la recherche empirique.

DE LA VARIABLE À L'INDICATEUR[5]

Mais cette première étape ne suffit pas. Car si les variables identifient ce que l'on doit observer, elles sont muettes sur la façon de mesurer/évaluer ce qu'on observe. Pour ce faire, il faut introduire un deuxième niveau de précision dans l'opérationnalisation des concepts. Cette seconde étape suppose la construction ou la formation d'indicateurs qui permettront d'identifier les variations dans la valeur de chacune des variables.

---

5.   Cette partie s'inspire du chapitre de Claire Durand et André Blais dans l'ouvrage collectif sous la direction de Benoît Gauthier et Isabelle Bourgeois référencé à la fin de cette étape.

> *Un* indicateur *est un instrument permettant d'articuler en langage concret le langage abstrait utilisé à l'étape de la formulation du problème et, jusqu'à un certain point, à l'étape de l'énonciation de l'hypothèse. Il sert à identifier et à évaluer la variation dans la valeur des variables. Il permet aussi de classer un objet dans une catégorie par rapport à une caractéristique donnée. L'indicateur constitue donc un référent empirique plus précis que la variable qui est elle-même un référent empirique du concept. Il est d'autant plus utile que le concept est bien défini, c'est-à-dire que nous avons déterminé le plus clairement possible ce qu'il inclut et ce qu'il exclut. Les variables seront alors mieux définies et la construction des indicateurs en sera simplifiée.*

Même si les concepts et les variables ont été bien précisés, d'autres embûches peuvent se présenter. Dans une recherche donnée, un indicateur ne peut faire référence qu'à une seule variable, mais une variable peut contenir plusieurs indicateurs. C'est pourquoi la construction des indicateurs constitue une étape cruciale du projet de recherche que l'on ne saurait réaliser n'importe comment et qu'il faut aborder avec minutie.

Dès lors, trois règles s'imposent.

Première règle

Il faut recenser l'ensemble des indicateurs possibles en se basant sur la littérature spécialisée ou sur la connaissance que nous avons de notre objet d'étude. Il faut ensuite évaluer chacun des indicateurs recensés, afin d'éliminer les moins appropriés

Deuxième règle

La transformation d'une variable en indicateur doit obligatoirement comporter l'attribution d'un niveau de mesure de l'indicateur. On distingue trois principaux types de variables selon que le niveau de mesure de leur indicateur est nominal, ordinal ou numérique.

– *La mesure nominale consiste simplement en la juxtaposition des attributs sans distinction de rang, ordre, proportion ou intervalle.* Ainsi, les attributs de la variable nationalité (français, anglais ou italien) sont distincts et indépendants les uns des autres.

– *La mesure ordinale est la hiérarchisation des attributs selon un quelconque ordre de grandeur.* Ainsi, l'intensité de la pratique religieuse peut être forte, moyenne ou faible.

– *La mesure numérique, de loin la plus précise, détermine les attributs sur la base de valeurs standardisées.* On parle *de variable d'intervalle* quand la distance entre les attributs numériques peut s'exprimer sous forme d'intervalles standardisés. La température, mesurée en degrés Celsius, est une variable numérique d'intervalle. Quand, en plus, les attributs ont la propriété d'avoir un zéro absolu, on a alors affaire à une *variable de ratio*. L'âge et le revenu disponible (en dollars) sont des variables de ratio.

Troisième règle

Les indicateurs doivent respecter certains critères, notamment la précision, la fidélité et la validité. Un indicateur doit être suffisamment *précis* pour permettre la réplication exacte par d'autres chercheurs. Ainsi, un indicateur de la variable nationalité devra spécifier comment les sujets à nationalités multiples seront classés. Autre exemple, si on choisit de mesurer l'intensité de la pratique religieuse à l'aide de trois attributs (faible, moyen, fort) de fréquentation annuelle d'un lieu de culte, il faudra clairement distinguer les valeurs critiques séparant chacun de ces attributs en faisant attention à ce qu'ils demeurent mutuellement exclusifs et qu'ils ne se chevauchent donc pas. Dans le projet de recherche, ces précisions sont généralement fournies à l'étape de la collecte de l'information et de l'analyse des données.

Le critère de *fidélité* exige que l'indicateur fournisse des résultats constants, c'est-à-dire que pour chaque application identique d'une mesure à un même objet, on doit aboutir au même résultat.

Le critère de *validité* fait référence à la capacité d'un indicateur à représenter adéquatement le concept qu'il est censé préciser et mesurer. Le montant de la facture d'épicerie hebdomadaire n'est pas un indicateur valide de la consommation alimentaire d'une personne parce que le sac d'épicerie ne contient pas que des produits alimentaires. La validité est parfois difficile à établir, car elle repose le plus souvent sur un jugement de valeur, ce qui ne doit pas empêcher le chercheur de justifier la validité des indicateurs retenus, par exemple en cherchant des points d'appui dans la littérature existante et en particulier dans les travaux antérieurs sur le même sujet.

Les indicateurs sont donc des instruments de précision qui complètent les référents empiriques plus larges et par conséquent plus difficiles à observer que sont les variables. Ainsi, pour revenir à l'exemple initial, le concept opératoire Appui à la politique étrangère a pu être précisé, dans un premier temps, par la variable dépendante Comportement à l'ONU. Mais ce premier niveau de précision demeure insuffisant pour orienter la recherche empirique, car il peut prendre des formes variées allant de la participation financière au vote sur les différentes résolutions adoptées par les divers pays de l'ONU.

Il faut donc ajouter un deuxième niveau de précision au concept opératoire en retenant une ou quelques catégories de comportement possible à l'ONU dont on pourra évaluer la variation. Ce choix est déterminé de façon générale par la connaissance que nous avons de l'objet d'étude et en nous appuyant sur la littérature spécialisée. Supposons alors que l'information dont nous disposons nous amène à retenir le Vote à l'Assemblée générale comme mesure la plus efficace pour étudier, à travers le comportement à l'ONU, l'appui de l'État A à la politique étrangère de l'État B. L'indicateur de la variable dépendante devient ainsi le pourcentage de votes de l'État A semblables ou dissemblables à celui de l'État B à l'Assemblée générale de l'ONU. Ainsi,

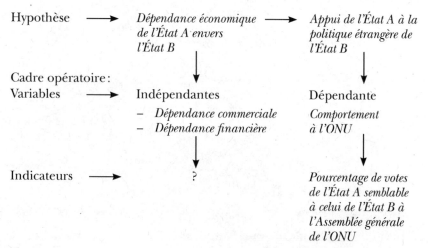

Cela implique que l'analyse du vote à l'Assemblée générale devient l'instrument de mesure de la variable Comportement à l'ONU, elle-même une dimension du concept opératoire Appui à

la politique étrangère. Cela signifie également que si nous utilisons ce seul indicateur, les conclusions auxquelles nous parviendrons alors à propos de la participation à l'ONU ne vaudront que pour le vote à l'Assemblée générale. Si nous voulons dire plus sur le comportement à l'ONU, il faudra alors ajouter d'autres indicateurs.

Reste à compléter le cadre opératoire en construisant des indicateurs pour les variables indépendantes. L'opération est exactement la même : il nous faut dès lors repérer des manifestations qui deviendront en même temps des instruments de mesure de la dépendance commerciale et de la dépendance financière. Là aussi, il faut effectuer un choix. Nous retiendrons alors le pourcentage d'exportations vers l'État B comme mesure de la dépendance commerciale et le pourcentage de la dette extérieure de l'État A contractée auprès de l'État B comme mesure de dépendance financière. Nous pouvons alors schématiser ainsi l'ensemble de notre cadre opératoire.

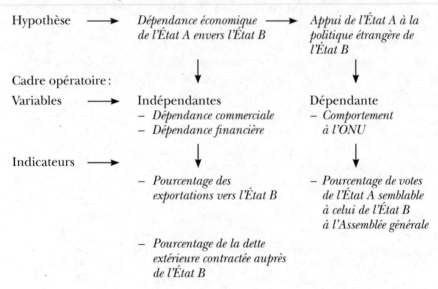

Cette représentation schématique nous permet ainsi de remarquer que chaque étage du cadre opératoire (variable et indicateur) reproduit, en la précisant davantage, la relation posée en hypothèse. Il faut cependant toujours garder à l'esprit que le cadre opératoire ne vaut que pour l'hypothèse postulée. Tout changement d'hypothèse exige une modification conséquente du cadre opératoire ; c'est pourquoi, il est fréquent de retrouver dans la littérature une variable dépendante qui deviendra variable indépendante dans d'autres travaux. De façon similaire, une même hypothèse pourra générer des cadres opératoires différents selon les choix des chercheurs.

QU'EST-CE QUI SOUS-TEND LE CHOIX DES VARIABLES ET DES INDICATEURS ET QUELLE SERA LA DYNAMIQUE DU CADRE OPÉRATOIRE ?

Cette étape du projet de recherche nous permet donc de préciser et de concrétiser la relation posée en hypothèse que nous serons dorénavant en mesure de vérifier empiriquement parce que nous aurons défini précisément les variables et les indicateurs qui nous indiqueront les faits à recueillir et les attributs à mesurer/ évaluer. Mais le travail de construction du cadre opératoire ne se limite pas à l'identification des variables et des indicateurs.

La partie du projet de recherche traitant du cadre opératoire doit également fournir deux contributions additionnelles. En premier lieu, il nous faut *justifier le choix* des variables et des indicateurs retenus. Ce choix doit découler de notre connaissance de la littérature autant que de notre objet d'étude. De façon générale, cette justification intervient au moment où l'on présente chaque variable et indicateur. En second lieu, la partie traitant du cadre opératoire doit également en *préciser la dynamique anticipée, à* moins que l'hypothèse ait été à ce point spécifique qu'elle rende ce développement inutile. Mais cela est plutôt rare et c'est pourquoi il faut toujours indiquer comment ou en quel sens doit varier la valeur des indicateurs pour que l'on puisse affirmer, à la fin de l'analyse, que l'hypothèse est confirmée ou infirmée.

Poursuivant notre hypothèse des pages précédentes, il nous faudrait au moins ajouter à cet égard la précision additionnelle que l'hypothèse sera confirmée si nous obtenons à la fois un pourcentage élevé d'exportations vers l'État B et de similarité dans le vote des deux pays à l'Assemblée générale de l'ONU. Cette confirmation ne pourrait être que temporaire et ne deviendrait définitive que lorsque toutes les variables et tous les indicateurs pertinents par rapport à nos concepts de Dépendance économique et d'Appui à la politique étrangère auraient été analysés sans que nous puissions parvenir à des conclusions contraires.

C'est d'ailleurs pourquoi les chercheurs préfèrent parler davantage de corrélation ou de covariance plutôt que de relation causale dans la mesure où il n'est pas toujours facile ni même possible d'effectuer cette vérification de toutes les variables et de tous les indicateurs pertinents. Nous pourrions, par ailleurs, préciser davantage et affirmer que l'hypothèse ne sera confirmée que si nous obtenons des ordres de grandeur identiques dans les pourcentages de chacun de nos indicateurs. Enfin, nous devons également informer le lecteur des conditions susceptibles d'infirmer notre hypothèse (les seuils critiques). Par exemple, la combinaison des taux élevés d'exportations et de la dette extérieure envers l'État A et un faible taux de similarité dans le vote à l'Assemblée générale de l'ONU est un résultat qui infirmerait notre hypothèse.

> *Le seuil critique est la valeur accordée à un indicateur afin de confirmer ou d'infirmer une hypothèse. L'hypothèse est confirmée au-delà du seuil critique et infirmée en deçà. C'est le chercheur qui établit le seuil critique d'un indicateur en s'appuyant de préférence sur la littérature ou alors à partir de sa connaissance du sujet.*

L'étape du cadre opératoire doit donc préciser comment doit évoluer la valeur de chacun des indicateurs pour que l'hypothèse soit confirmée ou infirmée. Ces précisions doivent généralement apparaître après la représentation schématique du cadre opératoire et servent à conclure cette étape du projet de recherche.

RÉSUMÉ

1. Le cadre opératoire est l'arrangement des variables et des indicateurs qu'il faut construire pour isoler des équivalents empiriques aux concepts opératoires de l'hypothèse, de façon à traduire ces concepts en langage concret pour permettre le travail de vérification empirique.

2. Le cadre opératoire amorce véritablement l'opérationnalisation et constitue, en ce sens, la partie centrale du projet de recherche puisqu'il forme le lien nécessaire entre l'hypothèse et le travail empirique d'analyse. Son rôle consiste à spécifier ce qu'il faudra analyser précisément pour vérifier l'hypothèse.

3. La variable représente un attribut ou une dimension du phénomène à étudier. C'est un référent empirique qui ajoute un premier niveau de précision au concept opératoire de l'hypothèse et ouvre ainsi la voie au travail empirique. La variable identifie ce qu'il faut observer (le quoi) pour vérifier l'hypothèse. Les trois types de variables les plus communément utilisées sont la variable dépendante, la variable indépendante et la variable intermédiaire.

4. L'indicateur est un instrument de précision et de mesure des variables; il ajoute un deuxième niveau de précision au concept opératoire de l'hypothèse et aide à la formation de l'information puisqu'il permet de classer un objet dans une catégorie par rapport à une caractéristique donnée. L'indicateur indique comment faire l'observation. Le choix et la construction des indicateurs obéissent à des règles précises.

5. Le cadre opératoire sert à circonscrire et à justifier le choix des variables et indicateurs. Il doit aussi préciser la nature et l'orientation du changement de valeur (les seuils critiques) des indicateurs pour que l'on puisse confirmer ou infirmer l'hypothèse.

Comment construire le cadre opératoire

1. S'assurer que les concepts opératoires de l'hypothèse ont été bien définis et traduisent adéquatement la relation que l'on veut postuler à propos de l'objet d'étude.

2. Connaître les analyses antérieures sur l'objet d'étude, tout comme l'approche théorique retenue, afin de faciliter le choix des variables et des indicateurs les plus pertinents. On justifie chaque choix en s'appuyant sur cette littérature.

3. Définir l'unité d'analyse et bien la distinguer des variables.

4. Déterminer la ou les variables dépendantes, indépendantes, et, éventuellement, de contrôle, en s'assurant qu'elles précisent adéquatement les concepts opératoires de l'hypothèse.

5. S'assurer, le cas échéant, que les conditions sont remplies pour pouvoir parler d'une relation de cause à effet.

6. Désigner les indicateurs pertinents en ayant soin de préciser leur niveau de mesure et de respecter les critères de précision, de fidélité et de validité.

7. Indiquer, le cas échéant, les valeurs critiques des indicateurs.

8. Indiquer les changements de valeur que doivent subir les indicateurs et variables pour que l'on puisse dire si l'hypothèse est confirmée ou non.

LISTE DES OUVRAGES CITÉS

BOOTH, Wayne C., Gregory G. COLOMB et Joseph M. WILLIAMS (2008), *The Craft of Research,* Chigago/Londres, 3ᵉ édition. University of Chicago Press. Chap. 1.

DURAND, Claire et André BLAIS (2016), « La mesure », dans Benoît Gauthier et Isabelle Bourgeois (sous la direction de), *Recherche sociale. De la problématique à la collecte des données,* 6ᵉ édition. Québec, Presses de l'Université du Québec, p. 223-250.

GERRING, John (2012), *Social Science Methodology: A Criterial Framework,* 2ᵉ édition, Cambridge/New York, Cambridge University Press, chap. 3.

NORGAAR, Asbjorn S. (2008), « Political Science : Witchcraft or Craftmanship ? Standards for Good Research », *World Political Science Review 4 (1),* p. 1-28.

Choisir la stratégie de vérification

S i la construction du cadre opératoire permet de déterminer ce que l'on doit observer et mesurer ou évaluer afin de vérifier l'hypothèse, elle ne dit rien en revanche sur la démarche concrète pour y arriver. C'est la stratégie de vérification ou devis de recherche qui nous amène à faire les choix pour organiser les étapes logiques de la démonstration à venir.

NATURE ET RÔLE DE LA STRATÉGIE DE VÉRIFICATION

Dans l'art militaire, on distingue très clairement la stratégie de la tactique. En situation de guerre, la stratégie fait référence aux grandes décisions que doit prendre un état-major quant au terrain où mener l'attaque, au nombre de fronts à ouvrir ou encore à la manière d'affronter l'adversaire, s'ils sont plusieurs et de force inégale. La tactique est une décision à portée plus restreinte relative à la manœuvre et au type de moyens à utiliser pour gagner une bataille spécifique. En politique, la stratégie, ce sont les orientations générales privilégiées par un gouvernement, tandis que la tactique fait référence aux moyens spécifiques utilisés pour réaliser les objectifs généraux. C'est un peu la même chose sur le plan de la recherche scientifique.

> *La* stratégie de vérification *est un choix général sur la façon de déployer les ressources pour appliquer le plus efficacement possible le cadre opératoire, de manière à obtenir la réponse la plus pertinente à la question de recherche. C'est le choix que l'on doit faire quant au nombre de cas à utiliser et au type de recherche à réaliser pour assurer la vérification la plus complète possible de l'hypothèse.*

Le choix de la stratégie de vérification est donc une étape importante de la recherche parce que la décision qui en résultera servira à déterminer l'ampleur de l'étude à réaliser, le type d'information à collecter et le type de traitement de données à effectuer pour pouvoir vérifier l'hypothèse avec les meilleures chances de parvenir à des conclusions solides. La collecte de l'information, et le traitement des données seront abordés aux étapes six et sept respectivement.

QUELS SONT LES TYPES DE STRATÉGIES DE VÉRIFICATION ?

Il n'existe pas de typologie unique, commune à tous les auteurs, pour classifier les différentes stratégies de recherche ou de vérification. Pas moins de six apparaissent le plus communément dans les travaux scientifiques.

Pour plusieurs chercheurs, *la stratégie de recherche expérimentale* est la stratégie optimale lorsqu'il s'agit de vérifier une relation de cause à effet parce que c'est elle qui permet le test le plus rigoureux d'une hypothèse causale. Pour ce faire, elle exige que l'on satisfasse à deux conditions de base : que le chercheur contrôle la variable indépendante, et qu'il contrôle l'influence des autres variables (Gerring, 2012, p. 250 ; Bouma, Ling et Wilkinson, 2012, p. 127). On imite ici la démarche de recherche en laboratoire, usuelle en sciences de la nature, où le chercheur contrôle toutes les conditions de son expérimentation. À cause de cela, la stratégie expérimentale est caractérisée par une forte validité interne, mais sa validité externe est réduite étant donné la difficulté de généraliser les résultats à des situations hors laboratoire (Burnham et al., 2008, p. 56).

L'utilisation d'un devis expérimental est assez fréquente en psychologie expérimentale, mais peu courante dans les autres sciences sociales et en sciences humaines en général. Une expérience typique serait celle où le chercheur sélectionne deux groupes de participants identiques dont l'un agit comme groupe de contrôle. L'idée est d'exposer un groupe au stimulus (la variable indépendante), mais pas l'autre, de telle sorte qu'on puisse attribuer la différence de comportement entre les groupes, si une telle différence existe, au stimulus. Une telle recherche est possible en science politique, par exemple, lorsqu'un chercheur voudrait observer l'influence d'un facteur X sur le vote. On peut aussi l'utiliser en science de l'éducation pour voir comment des groupes d'enseignants réagissent à des informations (fictives) sur la performance scolaire d'étudiants.

Le devis expérimental comporte de nombreux avantages. On peut l'appliquer à un grand nombre de cas, indépendants, mais comparables, de façon à isoler la ou les variables pertinentes et à en évaluer adéquatement l'influence. On peut aussi reproduire l'expérience à volonté et tester des hypothèses différentes en modifiant les paramètres de l'expérience (Gerring, 2012, p. 277). Toutefois, il faut bien voir que le devis expérimental est le plus difficile à utiliser en sciences sociales et en sciences humaines, étant donné les contraintes associées à son utilisation. On peut l'employer, comme nous venons de le voir, dans certaines situations, mais il reste que l'environnement habituel du chercheur dans ces disciplines est celui où le «laboratoire» est constitué de la société dans laquelle il vit. Ce qui crée une contrainte significative pour l'utilisation de la stratégie expérimentale : la difficulté de reproduire en laboratoire une situation réelle en mouvement constant.

C'est pourquoi il est nécessaire de recourir à d'autres stratégies de recherche. Une stratégie apparentée à la précédente est la *stratégie corrélationnelle* (*cross-sectional* en anglais) qui suppose l'analyse d'un grand nombre de cas pendant une seule période. L'étude corrélationnelle est fortement associée à l'analyse quantitative à cause du grand nombre de cas étudiés et de l'utilité de l'outil statistique pour l'analyse de ces cas (Burnham et al., 2008, p. 59). Le chercheur compile un grand nombre de données sur une courte période de temps de façon à identifier des associations possibles entre les variables. À la différence du devis expérimental, la stratégie de recherche corrélationnelle ne permet pas au chercheur de contrôler les variables ce qui peut compliquer l'identification de la direction de la causalité (Burnham et al., 2008, p. 59).

Un chercheur qui souhaite utiliser les outils d'analyse statistique pour traiter d'un problème complexe devra s'attacher à diviser ce problème en le simplifiant. Plutôt que de garder un problème complexe dans son entier, il est parfois préférable de prendre seulement certaines parties du problème et de trouver des questions de recherche et des hypothèses simples (mais pas simplistes), facilement vérifiables par voie d'analyse statistique. Un exemple de problématique simple serait de tester seulement l'hypothèse selon laquelle l'importance de la représentation politique des femmes dans les parlements nationaux influence positivement l'égalité des sexes dans la société en général, sans trop nous préoccuper des nombreuses autres variables d'explication de l'égalité des sexes. Dans la stratégie de recherche corrélationnelle, le chercheur ne contrôle plus ni la variable dépendante ni la variable indépendante dans le sens de manipulation expérimentale. Mais il peut encore « manipuler » la variable indépendante, au moins intellectuellement.

La stratégie de recherche corrélationnelle constitue donc un choix logique lorsqu'il est question d'étudier un grand nombre de cas à un moment précis dans le temps. Les enquêtes d'opinion illustrent bien les avantages d'un tel type de stratégie, mais révèlent aussi un de ses handicaps qui est la faible pérennité des résultats obtenus.

La *stratégie de recherche comparative*, pour sa part, est sans doute la plus utilisée dans les sciences sociales. Elle est même à l'origine d'un sous-champ parmi les plus importants de la science politique, les études comparées (on notera toutefois que les spécialistes de ce sous-champ utilisent autant la stratégie comparative que l'étude de cas que nous aborderons plus loin). On emploie la stratégie de recherche comparative lorsque l'énoncé de notre hypothèse nous amène à comparer quelque chose à propos de deux ou quelques cas au cours d'une même période. Par exemple, l'influence de la pratique sportive sur le bien-être individuel selon le groupe d'âge, les conditions de développement de la pratique démocratique ou encore l'impact de politiques scolaires sur la performance de deux groupes étudiants. Les conclusions de ce type d'études seront d'autant plus rigoureuses qu'on aura comparé un plus grand nombre des cas.

Le devis de recherche comparatif prend généralement deux configurations de base : celle du devis le plus semblable (*most-similar*) et celle du devis le plus différent (*most-different*)[6]. Dans la première situation, le chercheur sélectionne les cas les plus similaires possible à tous égards sauf en ce qui concerne la ou les variables indépendantes posées en hypothèse. Par exemple, deux villes tout à fait similaires en termes de taille, de composition ethnique, de distribution d'âge et de revenu, etc., mais où le taux de maladies cardiovasculaires est plus élevé dans l'une que dans l'autre. Ce facteur expliquerait-il des dépenses en santé plus élevées dans une ville que dans l'autre? En situation de devis de recherche le plus différent, on inverse les choses. Les deux villes retenues ont plusieurs caractéristiques très différentes, mais sont similaires par rapport au facteur que l'on désire étudier soit la variable indépendante.

La principale difficulté du devis de recherche comparatif est de trouver assez de cas comparables pour pouvoir appliquer les concepts de façon constante, mesurer avec fiabilité, et ainsi parvenir à des conclusions les plus rigoureuses possibles. Son grand avantage, par contre, est de permettre des classifications plus fines, de vérifier plus facilement des hypothèses à propos des liens entre les éléments des classification et, ce faisant, de produire un savoir plus approfondi que si on n'étudiait qu'un seul cas (Burnham et al., 2008, p. 80-87).

Deux autres stratégies de recherche peuvent être considérées comme des variantes du devis de recherche comparatif. Il s'agit de l'étude longitudinale et de l'étude longitudinale comparée. On utilise le *devis de recherche longitudinal* lorsqu'on désire étudier une relation entre deux variables relatives à un individu, à un groupe ou à une entité à différents moments dans le temps. On l'emploie souvent pour analyser l'évolution de tendances à l'intérieur de collectivités ou d'États. Par exemple, pour voir si le changement de la composition ethnique dans un pays donné a mené à des changements dans le vote. On pourrait aussi vouloir examiner si le vieillissement de la population dans un quartier X au cours des 40 dernières années a mené à des changements dans le mode d'habitation.

---

6.   La première forme est la plus courante et elle est appelée différemment selon les auteurs. C'est la méthode de la différence de J. S.Mill, la méthode de comparaison contrôlée de F. Eggan et la méthode des cas comparables de A. Lijphart.

Une autre forme de devis longitudinal est l'étude avant-après. On utilise cette variante pour voir si un événement ou l'arrivée d'une nouvelle pratique ont pu mener à un ou à des changements de comportements. Par exemple, l'introduction d'une nouvelle pratique pédagogique a-t-elle mené à de meilleurs résultats aux examens? Un changement de chef d'État a-t-il résulté en un changement dans les orientations de politique étrangère de son pays? Dans chacun des cas, il suffit alors de comparer le comportement durant deux périodes de même durée avant et après le changement (Bouma, Ling et Wilkinson, 2012, p. 115-117).

Le *devis de recherche longitudinal comparé* est du même type que le précédent sauf que la comparaison dans le temps porte sur deux individus, deux groupes ou deux entités. Est-ce que le vieillissement de la population a mené à un changement dans le mode d'habitation dans deux quartiers ou dans deux villes au cours des 40 dernières années? Un changement de pratique pédagogique a-t-il résulté en une meilleure performance aux examens selon qu'il s'agisse de filles ou de garçons? L'élection d'un parti socialiste a-t-elle mené à un changement de politique économique dans les pays X et Y?

Les devis de recherche de type comparatif ne permettent pas en général d'établir des relations de cause à effet, mais ils peuvent permettre d'établir des corrélations. Ils ont le grand avantage de générer des connaissances plus approfondies du fait même de la comparaison.

La dernière des grandes stratégies de recherche que nous présentons est *l'étude de cas* qui est aussi une stratégie de vérification communément utilisée en sciences sociales et dans les disciplines connexes. C'est également, avec la stratégie expérimentale, celle qui est à la base de toutes les stratégies de recherche employées aujourd'hui en sciences sociales et en sciences humaines. Comme dans la plupart des autres stratégies de recherche, le chercheur ne peut manipuler ici les variables en cause, mais seulement observer les interrelations possibles entre ces variables. L'étude de cas est une stratégie de recherche empirique qui permet d'étudier des phénomènes contemporains dans la réalité où les frontières entre le phénomène et son contexte ne sont pas toujours évidentes et où il faut habituellement utiliser des sources multiples d'information et d'évidence (Yin, 2014).

L'étude de cas, comme son nom l'indique, amène le chercheur à centrer son analyse sur un seul individu, un seul groupe ou une seule entité. L'objectif, en utilisant ce devis, est de déterminer s'il y a une relation entre les variables X et Y dans le cas étudié. Il peut s'agir alors d'une recherche exploratoire ou d'un exercice plus poussé afin d'identifier des liens entre variables qui pourront ensuite faire l'objet de tests plus rigoureux (Bouma, Ling et Wilkinson, 2012, p. 110-111). Dans l'étude de cas simple, on applique le devis à un seul cas alors que dans l'étude de cas multiple on applique le devis à quelques cas choisis minutieusement de façon à générer des conclusions plus étoffées.

L'étude de cas est une stratégie de recherche qui se prête davantage à l'analyse qualitative avec ou sans l'utilisation de statistiques descriptives. Son grand avantage est de permettre une étude en profondeur parce qu'elle encourage la collecte d'un grand nombre d'informations relatives au lien entre une variable particulière X et une variable particulière Y (Burnham et al., 2008, p. 64 ; Gerring, 2012, p. 280 ; Roy, 2016). Le principal inconvénient de l'utilisation de l'étude de cas est la grande difficulté de généraliser les conclusions à d'autres cas. La validité externe de ce type de devis est donc faible même si sa validité interne peut être très forte.

COMMENT CHOISIR LE DEVIS DE RECHERCHE APPROPRIÉ ?

Le choix de la stratégie de recherche appropriée pour telle ou telle étude n'est pas donné automatiquement. Cela est question de jugement, et la décision résulte généralement de notre niveau de connaissance de la littérature et de l'information disponible nécessaire à la démonstration. Il existe toutefois deux grandes façons de procéder pour nous aider à faire le choix approprié.

La première est celle proposée par Gerring (2012) qui suggère de choisir la stratégie en fonction du *nombre de cas ou d'observations* que nous jugeons nécessaires à la démonstration. Un grand nombre de cas (large N) appellera habituellement un devis de recherche de type expérimental ou corrélationnel parce que les données utilisées rendent ce type de stratégie possible. En revanche, un faible nombre de cas (petit N) nous orientera vers des devis de type étude de cas, étude comparative ou étude longitudinale.

La deuxième façon de procéder est celle de Bouma, Ling et Wilkinson (2012, p. 108-110) qui suggèrent de centrer l'attention sur la *relation analytique proposée dans l'hypothèse*. On trouve alors différentes possibilités qui nous orientent vers autant de devis de recherche possible.

La première situation est celle où une hypothèse prédit une variation dans le niveau de la variable dépendante à la suite ou en fonction d'une variation dans le niveau d'une ou de plusieurs variables indépendantes. La relation analytique postulée est alors une relation de cause à effet ou une relation de covariation qui fait habituellement appel à un *devis de recherche expérimental* ou à une *stratégie corrélationnelle*. Lorsque les conditions ne sont pas réunies pour l'utilisation d'un devis expérimental, nous pouvons utiliser un autre type de devis de recherche en mentionnant toutefois les limites de cette solution de rechange (Bouma, Ling et Wilkinson, 2012, p. 108).

Une deuxième situation est celle où nous voulons vérifier si la relation entre les variables dépendante(s) et indépendante(s) pour un cas donné a varié ou est demeurée la même entre le temps 1 et le temps 2 ou à différents moments dans le temps. Une telle situation fait généralement appel à un *devis de recherche de type longitudinal*.

Une troisième situation est celle où nous voulons vérifier si la relation entre les variables indépendante(s) et dépendante(s) demeure la même ou si elle est différente en l'appliquant à deux cas ou plus. *L'étude comparative* devient alors la stratégie à privilégier pour une telle situation.

Quatrièmement, la *stratégie d'étude comparée longitudinale* est celle que l'on privilégie habituellement lorsqu'on regroupe les deux situations précédentes. Cela signifie que l'on veut observer si la relation analytique proposée change ou demeure la même lorsqu'on compare deux cas (ou plus) à des moments différents.

Enfin, nous recourrons à *l'étude de cas* lorsque nous désirons savoir si une relation existe entre une ou des variables dépendantes et une ou des variables indépendantes dans un cas donné à un moment dans le temps.

Le tableau suivant, tiré essentiellement de Bouma, Ling et Wilkinson (2012, p. 109) présente les six devis de recherche de base, pour des cas A et B, auxquels sont associées les questions concernant la relation analytique postulée en hypothèse.

TABLEAU 5.1 LES SIX DEVIS DE RECHERCHE DE BASE[7]

TYPES DE DEVIS			QUESTIONS
1. Expérimental Groupe expérimental Groupe de contrôle	A B Temps 1	+/- A B Temps 2	La différence entre A et B est-elle due à un changement (+/-) dans la variable indépendante?
2. Corrélationnel	A	B, C, D... +/_	La différence entre A et B est-elle due à un changement (+/-) dans la variable indépendante?
3. Comparatif	A B		A et B sont-ils différents et la ou les variables indépendantes expliquent-elles la différence?
4. Longitudinal	A Temps 1	A Temps 2	Est ce qu'il y a eu un changement dans A et la ou les variables indépendantes expliquent-elles le changement?
5. Longitudinal comparé	A B Temps 1	A B Temps 2	A et B diffèrent-ils dans le temps et la ou les variables indépendantes expliquent-elles la différence?
6. Étude de cas simple	A		Y a t-il une relation entre la variable dépendante et la variable indépendante?

Il faut compléter cette brève présentation des principales stratégies de recherche par un rappel important: on ne doit pas établir une hiérarchie entre les différentes stratégies de vérification, car aucune n'est en elle-même meilleure ou pire que l'autre du point de vue de la recherche et de la connaissance scientifique. Chacune peut être utilisée pour des analyses exploratoires, descriptives ou explicatives, de la même façon que toutes peuvent être utilisées pour des études descriptives ou comparatives. C'est en réalité la nature du sujet retenu et la façon dont on formule le

---

7.   Les lettres A et B dans le tableau se réfèrent aux entités étudiées (individus, groupes ou phénomènes).

problème de recherche qui détermineront la stratégie de vérification la plus appropriée dans chaque cas. Une stratégie donnée
pourra ainsi générer d'excellents résultats de recherche dans un
cas, mais sera parfaitement inopérante ou même non pertinente
dans un autre. Il est toujours extrêmement important de se rappeler
à cet égard – ce que l'on ne fait pas toujours – que ce n'est pas la
stratégie de recherche ou la méthode qui détermine le problème
de recherche, mais que c'est bien plutôt la nature du problème qui
impose la stratégie et détermine la méthode à utiliser.

Supposons que nous ayons énoncé l'hypothèse selon laquelle
une plus grande représentation des femmes dans les parlements
nationaux influence positivement l'égalité des sexes dans la
société. L'argument théorique à la base de notre hypothèse
postule que les femmes étant plus préoccupées de l'égalité des
sexes que les hommes en général, l'augmentation de leur présence
dans les parlements par comparaison à celle des hommes entraîne
une augmentation des projets de loi visant à favoriser l'égalité des
sexes dans la société. L'augmentation de la présence des femmes
dans les parlements risque également de créer un effet d'entraî-
nement par lequel tous les partis politiques sont incités à faire
élire plus de candidates aux élections pour mieux courtiser l'élec-
torat féminin.

Dans notre hypothèse sur la relation entre la représentation
politique des femmes et l'égalité des sexes dans la société, il est
évident que l'on ne peut pas utiliser la stratégie expérimentale
puisqu'on ne maîtrise ni la variable dépendante ni la variable
indépendante. Une stratégie possible est le devis de recherche
longitudinal comparé. On pourrait par exemple étudier sur
plusieurs années l'évolution de la représentation politique et de
l'égalité des sexes dans deux pays, un premier dans lequel la représentation des femmes a beaucoup augmenté, et un second dans
lequel elle n'a pas beaucoup progressé, afin de vérifier si l'égalité
des sexes s'est améliorée dans le premier pays, mais pas dans le
second. Une autre stratégie, le devis comparatif, consiste à comparer
un large échantillon de pays non plus sur une base chronologique,
mais plutôt dans l'espace pour tester l'hypothèse selon laquelle
l'importance de la représentation politique des femmes influence
positivement l'égalité des sexes; autrement dit, l'égalité des sexes

est plus grande dans les pays où la représentation des femmes est importante que dans ceux où elle ne l'est pas[8].

L'étude de cas est également une stratégie de recherche possible pour vérifier la vraisemblance de l'explication théorique selon laquelle la représentation politique des femmes entraîne une amélioration de la condition sociale des femmes. Selon l'information disponible, il faudra alors choisir entre l'analyse portant sur une étude de cas unique ou l'analyse portant sur une étude de cas multiples. Quel que soit le nombre de cas que l'on choisira d'étudier, il faudra alors analyser en profondeur l'activité législative des femmes par comparaison avec celle des hommes, et l'incidence réelle que cette activité législative a sur la condition sociale des femmes en général et sur l'égalité des sexes en particulier. Il faudra également analyser en détail les nombreux facteurs tiers qui viennent influencer la relation entre la représentation politique des femmes et l'égalité des sexes dans la société.

VALIDITÉ DE LA STRATÉGIE DE RECHERCHE

Il n'existe pas de règle précise ou de recette miracle pour déterminer quelle stratégie à adopter dans chaque cas; c'est en bonne partie une question de jugement et de connaissance du sujet. Et c'est également un choix qui dépend de la façon dont le problème aura été formulé, de la nature de la relation postulée en hypothèse, du choix des variables et des indicateurs retenus et, finalement, de la nature et de l'accessibilité de l'information nécessaire pour la démonstration.

En général, on évalue la qualité de la stratégie de recherche retenue par la capacité à confronter l'hypothèse aux faits concrets. Cette évaluation s'effectue sur la base de la validité de la stratégie de recherche. Il y a deux aspects, parfois contradictoires, de la validité d'une stratégie de recherche.

> *La* validité interne *d'un projet de recherche est la certitude plus ou moins grande que la conclusion d'une expérience reflète bien ce qui s'est effectivement passé dans cette expérience.*

---

8.   Les lecteurs intéressés trouveront plusieurs pistes de recherche sur les facteurs sociopolitiques susceptibles d'influencer la condition sociale des femmes dans Gidengil et O'Neil (2006).

Dans le cadre d'une expérimentation, la question de la validité interne revient à savoir si le traitement expérimental fait une différence. Autrement dit, est-ce que la relation observée entre les variables est vraiment le résultat de la manipulation ou bien est-il pollué par d'autres variables qui n'ont pas été contrôlées durant l'expérience? Par exemple, la validité interne d'une expérience qui se déroule dans le temps peut être menacée par toutes sortes de facteurs tels que l'histoire (les événements imprévus se produisant entre deux mesures), la maturation (par exemple la fatigue accrue des sujets au cours de l'expérience) ou la mortalité (en l'occurrence, la disparition de sujets d'un test à l'autre). L'interaction entre le chercheur et les sujets (effet de test) constitue une autre menace à la validité interne bien connue des chercheurs. Par exemple, dans un test expérimental de l'impact des inspections mécaniques sur les accidents routiers, la validité interne se trouve menacée par le fait que le test n'est pas aveugle. C'est-à-dire que les sujets du groupe expérimental ne sont pas choisis à leur insu, et cela peut avoir un impact sur leur comportement de conduite pendant le test.

> *La* validité externe *est la certitude plus ou moins forte que l'on peut généraliser les résultats d'une recherche à d'autres populations ou à d'autres cas.*

Un autre terme pour désigner la validité externe est la capacité de généraliser. La principale menace à la validité externe d'un projet de recherche expérimental provient de l'effet d'interaction entre la situation de test et le stimulus expérimental. Par exemple, dans un test où l'on expose des sujets à un stimulus (publicité télévisée des partis politiques avant une élection) pour voir si cela change leur choix électoral, on n'est jamais sûr que le même stimulus aurait le même effet dans une autre situation. Il se peut que le stimulus dans l'expérience avec les sujets ait plus d'effet que dans la vie courante parce que les sujets de l'expérience sont artificiellement préparés à ce que le stimulus influence leur choix électoral.

Reprenons notre exemple d'hypothèse selon laquelle l'égalité des sexes s'améliore lorsque la représentation politique des femmes gagne en importance et supposons que nous voulions tester cette hypothèse par voie d'une étude corrélationnelle comportant seulement deux variables (l'égalité des sexes et la représentation politique des femmes) et un grand nombre d'observations (c'est à dire beaucoup de pays). L'avantage d'une telle stratégie de recherche est que nous disposons précisément de beaucoup d'observations ; ce qui veut dire que notre recherche sera assez exhaustive sur le plan du nombre et de la variété des cas étudiés pour que sa validité externe ne soit pas menacée. Toutefois, un test corrélationnel de ce type se heurte à un problème de validité interne puisque les résultats du test risquent d'être « pollués » ou biaisés par des variables qui n'ont pas été prises en compte dans notre équation. Pour régler ce problème, il serait nécessaire d'incorporer ces variables supplémentaires au devis. Mais les données de ces autres variables risquent d'être difficiles à collecter. Nous n'avons sûrement ni le temps ni les ressources pour collecter les données de ces variables sur l'ensemble des observations dont nous disposons.

À l'inverse, nous pourrions choisir d'analyser en détail la relation entre représentation politique des femmes et égalité des sexes dans quelques pays seulement ou même un seul pays dans le cadre d'une recherche synthétique par étude de cas. Contrairement à la recherche corrélationnelle portant sur un grand nombre d'observations, notre recherche par étude de cas reposera sur peu d'observations (possiblement une seule). Cela nous coûtera bien sûr en termes de capacité de généralisation des résultats de l'étude ; en revanche, cela nous permettra de couvrir le terrain en profondeur par l'analyse d'un grand nombre de variables, et en particulier, les variables qui nous posaient un problème de collecte dans le cas de l'étude corrélationnelle. En termes scientifiques, l'avantage de la stratégie de vérification par étude de cas, c'est que ses résultats sont moins menacés par le problème de validité interne.

Il ressort bien dans notre exemple que la validité interne et la validité externe varient en relation inverse. En règle générale, on ne peut espérer maximiser à la fois la validité interne et la validité externe en n'utilisant qu'une seule stratégie de recherche. L'idéal serait bien sûr de combiner l'approche corrélationnelle (plus quantitative) à l'analyse synthétique par étude de cas (plus qualitative). On gagnerait ainsi sur les deux tableaux, car la validité de notre recherche se trouverait maximisée à la fois sur le plan externe et sur le plan interne.

On retrouve de plus en plus de travaux dans lesquels les chercheurs combinent les stratégies de recherche. On nomme souvent ce type de recherche les *devis mixtes*. Cette combinaison permet généralement de produire des conclusions plus rigoureuses, mais elle exige du chercheur une plus grande prudence et une attention plus soutenue. Qu'il s'agisse de choisir une seule stratégie de recherche ou d'en combiner deux, l'exercice doit être réalisé avec la plus grande minutie. Le choix effectué à cette étape détermine en effet tout le cheminement pratique de la recherche, de la collecte de l'information à l'analyse des données et à la production des conclusions. En ce sens, choisir la stratégie de recherche appropriée constitue une décision stratégique de la plus haute importance pour le succès de la recherche qu'on s'apprête à entreprendre.

RÉSUMÉ

1. La stratégie de vérification est la manière de déployer des ressources pour appliquer le plus efficacement possible le cadre opératoire.

2. La stratégie expérimentale exige du chercheur qu'il puisse à la fois contrôler et manipuler la variable dépendante et la variable indépendante. C'est la moins utilisée en sciences sociales et humaines.

3. La stratégie corrélationnelle est très utilisée en sciences sociales; elle ne permet aucune manipulation des variables étudiées.

4. C'est la même chose pour les stratégies comparative, longitudinale et longitudinale comparée. La stratégie comparative est utilisée depuis très longtemps et est à la base d'un des sous-champs majeurs de la science politique.

5. L'étude de cas est très fréquente en sciences sociales et dans les disciplines connexes. Elle ne permet pas de manipuler les variables et ne favorise pas les généralisations, mais elle rend possible l'analyse plus approfondie d'un phénomène.

6. Il n'y a pas de hiérarchie entre les différentes stratégies de recherche, c'est la nature du problème à traiter qui détermine la stratégie de vérification la plus pertinente et la plus efficace.

7. Le projet de recherche doit non seulement justifier la stratégie de vérification retenue, mais également en préciser et en justifier les paramètres.

COMMENT CHOISIR LA STRATÉGIE DE VÉRIFICATION

1. S'assurer d'avoir bien compris la relation posée en hypothèse.

2. Réfléchir sur l'ensemble de la démarche nécessaire à la vérification de l'hypothèse en ayant à l'esprit les grands paramètres des principales stratégies de vérification.

3. Déterminer la stratégie retenue en précisant comment la validité interne et la validité externe seront préservées.

4. Justifier le choix de la stratégie en fonction des travaux antérieurs, de l'information disponible sur l'objet d'étude, de la nature de l'hypothèse ainsi que de la nature et du nombre des variables d'analyse.

LISTE DES OUVRAGES CITÉS

BOUMA, Gary D., Rod LING et Lori WILKINSON (2012) *The Research Process*, 2e édition, Don Mills, ON, Oxford University Press, p. 103-134.

BURNHAM, Peter, Karin GILLAND LUTZ, Wynn GRANT et Zig LAYTON-HENRY (2008), *Research Methods in Politics*, 2e édition, Basingstoke et New York, Palgrave Macmillan, p. 38-95.

GAUTHIER, Benoît (2016), « La structure de la preuve », dans Benoît Gauthier et Isabelle Bourgeois (sous la direction de), *Recherche sociale. De la problématique à la collecte des données*, 6e édition, Québec, Presses de l'Université du Québec, p. 161-194.

GERRING, John (2012), *Social Science Methodology: A Criterial Framework*, 2e édition, Cambridge et New York, Cambridge University Press.

GIDENGIL, Elisabeth et Brenda O'NEIL (2006) (sous la direction de), *Gender and Social Capital*, New York, Routledge.

ROY, Simon N. (2016), « L'étude de cas », dans Benoît Gauthier et Isabelle Bourgeois (sous la direction de), *Recherche sociale. De la problématique à la collecte des données*, 6e édition, Québec, Presses de l'Université du Québec, p. 195-221.

YIN, Robert K. (2014), *Case Study Research: Design and Methods*, 5e édition, Newbury Park, Sage Publications.

Choisir un instrument de collecte de l'information

Nous sommes prêts maintenant à aborder les étapes plus concrètes ou plus spécifiques du travail empirique. La première de ces étapes est le choix de l'instrument ou des instruments de collecte de l'information, car aucune recherche empirique n'est possible sans une base suffisante d'information.

QUEL TYPE D'INFORMATION SÉLECTIONNER?

Dans le monde judiciaire, la présentation de la preuve constitue toujours un moment important qui, souvent, détermine la nature du jugement rendu. Et pour préparer sa preuve, un avocat ne peut se contenter d'aligner uniquement des points de droit, il doit aussi recueillir et utiliser tous les faits de nature à étayer son argumentation. C'est un peu la même procédure en recherche scientifique où la collecte de l'information est une étape importante du travail empirique parce qu'elle fournit l'élément de base pour la vérification de l'hypothèse. Le volume de l'information, sa nature et son degré d'accessibilité constituent autant de conditions au succès ou à l'échec de l'effort de vérification. Voilà pourquoi il faut, ici aussi, procéder méthodiquement et surtout, éviter de consulter rapidement quelques ouvrages pour en tirer des faits épars qu'on alignera n'importe comment dans un semblant de démonstration. On doit obtenir tous les faits, mais ne retenir que les faits pertinents. Le cadre opératoire et la stratégie de vérification indiqueront exactement quel type d'information ou quelle catégorie de faits il faudra recueillir pour vérifier l'hypothèse.

Nous avons posé en hypothèse une relation spécifique à démontrer sur un sujet donné ; le cadre opératoire nous a permis de préciser les référents empiriques sur lesquels concentrer notre attention pour mener l'étude à bien ; la stratégie de vérification est venue ajouter des éléments supplémentaires de précision.

Au moment de la collecte de l'information, il n'est pas nécessaire de recenser tous les faits sur le sujet plus large de la recherche ; tout ce dont on a besoin, c'est de l'information directement pertinente aux concepts opératoires de l'hypothèse précisés dans le cadre opératoire par des variables et des indicateurs. On doit cependant posséder toute l'information nécessaire relative aux éléments du cadre opératoire, autrement la vérification de l'hypothèse pourrait se révéler difficile.

QUEL TYPE D'INSTRUMENT UTILISER ?

Selon la nature de l'analyse, la recherche empirique pourra nécessiter un seul ou une combinaison de deux ou trois instruments de collecte d'information. Le projet de recherche précisera et justifiera celui ou ceux qui seront privilégiés par le chercheur.

Nous allons maintenant présenter brièvement quelques instruments potentiels de collecte de l'information. Nous n'irons pas cependant jusqu'à indiquer la façon d'utiliser chaque instrument, car cela irait à l'encontre des objectifs de concision du présent guide. La plupart des ouvrages de méthodologie traitent abondamment des modes d'utilisation des instruments de collecte de l'information et il ne servirait à rien de répéter ici les exposés détaillés proposés ailleurs.

> *L'*observation documentaire *est l'instrument de collecte de l'infor-mation le plus utilisé en science politique. Selon cette méthode, le chercheur consulte des documents desquels il extrait une information factuelle (statistiques ou faits bruts de comportement verbal, par exemple, une déclaration ministérielle, ou non verbale, comme un vote, une visite, etc.) ou des opinions ou des conclusions scientifiques qui lui serviront à appuyer son argumentation*[9].

Il existe plusieurs catégories de documents pouvant faire l'objet d'observation documentaire. Les publications officielles sont des documents publiés par les gouvernements (locaux, provinciaux et fédéraux) ou par des organisations internationales gouvernementales. Les travaux de recherche consistent en des livres ou des articles publiés dans des revues spécialisées (par exemple, la *Revue canadienne de science politique* ou *Études internationales*). Les journaux, tels que *Le Soir, La Presse*, etc., et les magazines comme *L'actualité, L'Obs*, etc., ne devraient être utilisés qu'à défaut d'obtenir de l'information ailleurs et à la condition que l'information contenue soit absolument nécessaire pour la démonstration. Dans tous les cas, ces documents ne devraient jamais constituer la partie la plus importante de la bibliographie et ne sauraient être autre chose qu'une source d'information d'appoint à moins que le traitement du sujet n'exige qu'on en fasse une source principale.

L'analyse de contenu est une forme particulière de collecte de l'information documentaire consistant à décrypter le contenu d'un document ou d'un corpus de documents pour en tirer des données textuelles qui seront ensuite analysées à l'aide d'instruments de traitement des données. L'analyse de contenu est parfois présentée comme un instrument de traitement des données et cela est compréhensible dans la mesure où les aspects de collecte de l'information et de traitement des données de cet instrument de recherche sont souvent difficiles à dissocier.

---

9.   Deux références utiles à propos de l'observation documentaire sont Loubet del Bayle (2000) et Brians et al. (2013).

> *Selon la définition du sociologue américain Bernard Berelson (1952),* l'analyse de contenu *est une technique de recherche objective, systématique et quantitative de description de contenu manifeste de la communication. C'est une technique que l'on utilise pour répondre à cinq questions soulevées par l'analyse interne d'une communication : « Qui parle ? Pour dire quoi ? Par quels procédés ? À qui ? Avec quel effet recherché ? » L'analyse de contenu postule qu'au-delà de leur nature symbolique, les textes partagent les mêmes caractéristiques que les objets matériels*[10].

L'analyse de contenu ne doit pas être confondue avec l'analyse de discours. Même si ces deux types d'analyse se ressemblent, ils diffèrent sur certains points essentiels. L'analyse de contenu part du point de vue que le discours reflète de manière plus ou moins neutre, une réalité qui existe en soi, hors du langage. Les tenants de l'analyse de discours adoptent le point de vue opposé : selon eux, aucun discours n'est jamais vraiment neutre. Le contenu et même la syntaxe d'un discours ont souvent des implications sociales et politiques que l'analyse exhaustive du discours ne peut ignorer. De là il n'y a qu'un pas vers l'affirmation que le discours est la réalité en soi, un pas que de nombreux tenants de l'analyse de discours n'hésitent pas à franchir. L'analyse de contenu étant beaucoup plus répandue en sciences sociales que l'analyse de discours, nous ne nous attarderons pas sur cette dernière.

Parmi la grande variété de méthodes d'analyses de contenu, deux en particulier sont utilisées en sciences sociales, soit les méthodes de positionnement et les méthodes de classification. Les méthodes de positionnement situent les textes et, par extension, les acteurs qui en sont à l'origine, à l'intérieur d'un espace lexical. Deux méthodes de positionnement avec codage manuel bien connues en science politique sont la méthode du *Comparative Manifesto Project*[11] et celle du *Comparative Agendas Project*[12] qui consistent à positionner, respectivement, les programmes

---

10.   La discussion de l'analyse de contenu est en partie basée sur le chapitre d'introduction de l'ouvrage de Daigneault et Pétry (2017). Voir également Leray et Bourgeois (2016).
11.   [En ligne]. [https://manifestoproject.wzb.eu/] (Consulté le 29 juillet 2016).
12.   [En ligne]. [http://www.comparativeagendas.info/] (Consulté le 26 juillet 2016).

électoraux des partis et les décisions des gouvernements dans des espaces politiques en fonction de catégories de codage préétablies. Les méthodes automatisées de positionnement calibrent les textes à l'étude à l'aide de logiciels sur la base de la distribution statistique présupposée des mots que ces textes utilisent.

Les méthodes de classification se divisent quant à elles en deux grandes familles, selon que les catégories de classification sont connues ou non. Les méthodes de classification avec des catégories connues nécessitent la création d'un dictionnaire d'analyse, ce qui implique au départ le codage manuel d'un corpus d'apprentissage. Par la suite, les analyses de réplications peuvent se faire de manière automatisée. Le lecteur intéressé trouvera un exemple d'analyse de contenu avec classification connue dans l'étude de l'incidence du contenu médiatique sur les attitudes des Québécois à l'égard des accommodements raisonnables dans les mois précédant l'élection de 2007 (Giasson, Brin et Sauvageau, 2010). Les méthodes de classification avec catégories inconnues sont par définition automatisées. Elles consistent essentiellement à effectuer des regroupements (*clustering*) à l'aide d'algorithmes supervisés ou non, qui modélisent statistiquement et identifient les catégories trouvées dans les textes.

Pour effectuer une analyse de contenu, il faut construire une grille d'analyse qui servira à évaluer le contenu des communications. La structuration de cette grille, directement influencée par le cadre opératoire élaboré à une étape antérieure du projet de recherche, exigera par ailleurs la réalisation de quelques opérations préparatoires. Ainsi, il faut d'abord déterminer l'objectif de l'exercice, qui est généralement fourni par le cadre opératoire. Compte tenu de cet objectif, il faut préciser l'univers de l'enquête, c'est-à-dire les catégories et le nombre de documents à traiter, puis déterminer l'unité de mesure (mots, groupes de mots, types d'objectifs, etc.) et enfin choisir les catégories d'analyse ou valeurs des variables en fonction desquelles l'information sera répartie. Par la suite, il sera possible d'effectuer un traitement statistique de l'information classifiée en utilisant diverses techniques telles que l'analyse de fréquence, l'analyse associative ou encore la sémantique quantitative.

Comme nous l'avons vu, l'analyse de contenu se fait souvent par codage humain (manuel) de l'information. Pour assurer son objectivité et sa neutralité, ce codage doit normalement se faire séparément par deux personnes. À la fin du processus, on mesure l'accord inter-codeur (ou accord inter-juge), soit le pourcentage d'accord entre les deux codeurs. Le pourcentage d'accord mesure la fiabilité inter-codeur. En cas de désaccord, on demande à un arbitre de trancher. Des vagues successives de codage et d'arbitrage peuvent se révéler nécessaires jusqu'à ce qu'un accord parfait soit obtenu. Le désaccord entre codeurs peut avoir plusieurs causes: différences cognitives entre les codeurs, ambiguïté de l'information, erreurs de codage. Un faible niveau de fiabilité inter-codeur menace la validité du codage. Si on ne peut faire appel à deux codeurs indépendants, la même personne peut à la rigueur procéder à deux codages successifs à un ou deux mois d'intervalle de manière à pouvoir calculer l'accord inter-codage.

L'analyse de contenu est sans doute l'une des techniques d'analyse de données les plus utilisées en science politique. Elle sert essentiellement à l'analyse du discours des acteurs pour étudier leurs intentions manifestes ou leurs motivations. Elle est également à l'origine de nouvelles techniques pour l'analyse du comportement des acteurs dont, entre autres, en relations internationales, l'analyse événementielle (*Events Data Analysis*).

> L'entretien *est un moyen par lequel le chercheur tente d'obtenir des informations, qui n'apparaissent nulle part, auprès de personnes ayant été le plus souvent témoins ou acteurs d'événements sur lesquels porte la recherche*[13].

L'entretien peut prendre différentes formes selon l'objet de la recherche, les sujets interrogés ou les modalités techniques de sa réalisation. Utilisé comme instrument d'appoint, l'entretien est surtout utile au début et à la fin de la recherche: au début, il sert essentiellement à s'assurer que les grands axes retenus pour la recherche s'appuient sur des bases solides et il peut permettre de découvrir des pistes de recherche insoupçonnées. En particulier, l'entretien peut servir d'étape préparatoire à la construction d'un questionnaire d'enquête de sondage. Dans son étude sur l'engagement des journalistes québécois envers la démocratie,

---

13.   Sur l'entretien semi-dirigé, voir Savoie-Zajc (2016).

Anne-Marie Gingras (2012) s'est d'abord entretenue avec un échantillon de journalistes pour mettre au point un questionnaire d'enquête qu'elle a ensuite soumis à l'ensemble des journalistes québécois. L'entretien peut aussi servir à la fin d'une recherche, pour assurer le bien-fondé de certaines conclusions auxquelles on est parvenu ou encore à nuancer certains jugements analytiques. L'entretien peut également servir de source principale d'information lorsqu'on souhaite percer le sens que les acteurs donnent à leurs comportements, à leurs croyances ou aux événements auxquels ils font face. L'entretien est également très utile pour avoir des précisions qu'on ne peut obtenir ailleurs sur des événements historiques, sur des relations entre acteurs ou sur le fonctionnement d'une organisation.

Peu importe sa forme ou le moment de la recherche où l'on y fait appel, il est toujours très important de consigner, pendant ou après l'entretien, les renseignements recueillis. Par ailleurs, il est recommandé de mener plusieurs entretiens pour assurer, par la confrontation des renseignements recueillis, la véracité des informations obtenues. L'entretien sert, en principe, à obtenir l'information fournie par le sujet; il peut aussi servir à observer les réactions du sujet aux stimuli produits par le chercheur.

> *Le* sondage *est une enquête d'envergure réalisée auprès de plusieurs centaines de personnes afin de recueillir, de façon systématique, un ensemble d'informations pertinentes concernant l'objet d'étude. Le sondage est effectué à partir de questionnaires structurés administrés à un échantillon de la population au moyen d'Internet, de rencontres personnelles, d'envois postaux ou d'appels téléphoniques*[14].

On distingue trois grands types de sondages : sondages auto-administrés (auxquels les sujets répondent librement) par la poste ou en ligne; sondages téléphoniques; sondages administrés par voie d'entretiens. Lorsqu'on procède à une nouvelle enquête par sondage comportant des questions qui n'ont jamais été posées

---

14. Pour plus d'informations sur la méthode des sondages, le lecteur est invité à consulter les chapitres de Blais et Durand et de Gauthier dans l'ouvrage collectif de Gauthier et Bourgeois (2016). L'ouvrage de Lemieux et Pétry (2010) donne également une information utile sur l'opinion publique que les sondages sont censés mesurer.

avant, on a avantage à commencer par un prétest sur quelques dizaines de sujets.

On sonde un échantillon, pas la population (un sondage auprès de la population dans son ensemble s'appelle un recensement). Il est primordial qu'un échantillon soit représentatif d'une population, c'est-à-dire qu'il soit, en plus petit, une copie conforme de cette population. Bien qu'il y ait débat sur cette question, de nombreux statisticiens pensent que la meilleure façon d'assurer la représentativité d'un échantillon est de l'élaborer de façon aléatoire, c'est-à-dire de choisir les sujets au hasard, de telle sorte que leur probabilité d'être sélectionnés est la même pour tous.

Le lecteur connaît l'expression courante selon laquelle un sondage est « représentatif à plus ou moins 3 % 19 fois sur 20 ». La formulation signifie que, si l'on répétait le même sondage exactement dans les mêmes conditions (avec entre autres le même nombre de sujets), on aurait 19 chances sur 20 (95 %) d'obtenir les mêmes résultats à plus ou moins 3 points de pourcentage près. L'expression « plus ou moins 3 % » fait référence à la *marge d'erreur* d'un résultat de sondage et l'expression « 19 fois sur 20 » fait référence au *niveau de confiance* avec lequel la maison de sondage a choisi d'estimer les données de la population à partir des données de l'échantillon. Le niveau de confiance est arbitraire. On pourrait théoriquement choisir un niveau de confiance beaucoup moins sévère (par exemple une fois sur deux), mais au risque de perdre confiance dans les résultats.

Les chercheurs font souvent appel à des maisons de sondage pour assister à la construction du sondage et ensuite l'administrer en vue d'utiliser les résultats pour leur recherche. La collaboration d'une maison de sondage garantit la qualité méthodologique du questionnaire, surtout s'il s'agit d'une maison de sondage réputée. La multiplication récente de logiciels gratuits de sondage en ligne tels que SurveyMonkey permet maintenant aux chercheurs d'administrer directement et à peu de frais leurs propres sondages. Le recours croissant à de tels logiciels a l'avantage de multiplier l'accès aux sondages comme outils de collecte de l'information mais, ce faisant, il multiplie les risques d'erreur statistique et d'erreur de mesure.

> *L'erreur de mesure est la différence entre la valeur réelle d'une grandeur et la valeur donnée par l'instrument de mesure.* Un thermomètre mal réglé qui indique une température inexacte est un cas d'erreur de mesure.

Le risque d'erreur de mesure augmente lorsque des chercheurs insuffisamment préparés posent des questions mal formatées ou mal libellées de telle sorte que les réponses à ces questions donnent une idée fausse de l'opinion publique qu'elles mesurent. Il est donc important de s'informer sur les diverses sources d'erreur des sondages et sur les manières de les éviter avant de construire un questionnaire de sondage en ligne. Pour plus de détails sur la manière correcte de formater et de libeller les questions de sondage, le lecteur est invité à consulter les lectures recommandées en fin de chapitre. Le risque d'erreur statistique provient du fait que les sondages en ligne font appel à des listes d'abonnés, pas à des échantillons aléatoires ; ces sondages ne sont donc pas parfaitement représentatifs de la population[15].

> Moins utilisée en science politique que les instruments précédents mais plus présente dans d'autres disciplines comme l'anthropologie par exemple, *l'observation directe consiste, pour un chercheur, à observer directement son objet d'étude ou le milieu dans lequel le phénomène se produit afin d'en extraire les renseignements pertinents à sa recherche.* C'est le cas, par exemple, d'un chercheur qui se rendrait sur place pour étudier certains aspects de la vie d'une communauté villageoise ou paysanne, ou d'un chercheur que l'on autoriserait à assister à certaines réunions du Conseil des ministres ou à suivre le processus de prise de décision au sein de certaines officines gouvernementales ou privées.

L'observation directe favorise une connaissance beaucoup plus approfondie de l'objet d'étude que tout autre instrument de collecte d'information ; elle exige en revanche un effort beaucoup plus systématique de la part du chercheur étant donné les risques

---

15. Il convient de mentionner une forme de collecte de l'information intermédiaire entre l'entretien et le sondage : le groupe de discussion (terme anglais *focus group*), dont l'objectif est de recueillir l'avis d'un petit groupe de répondants (huit personnes au maximum) sur des enjeux particuliers.

beaucoup plus grands d'erreurs de mesure ou d'interférences inhérentes à l'utilisation de cet instrument[16].

> L'observation participante *est en quelque sorte une variante de l'observation directe au sens où le chercheur n'est plus uniquement spectateur, mais devient, cette fois, également acteur au regard du phénomène ou du milieu qu'il observe. En somme, la distinction entre chercheur et sujet disparaît dans l'observation participante.*

Ce fut le cas du politologue Roger Hillsman que le président Kennedy avait invité à travailler à la Maison-Blanche au début des années 1960. À ce titre, il avait participé comme adjoint aux décisions du Conseil national de sécurité au moment de la crise des missiles de 1962. À son départ de la Maison-Blanche, il avait utilisé certaines de ses observations pour réaliser une étude sur la prise de décision américaine pendant cette crise en fonction de l'approche bureaucratique. Il est inutile d'insister sur le fait que les risques d'interférences auxquels nous avons fait allusion dans le cas de l'observation directe sont encore plus présents ici.

L'observation documentaire, l'entretien, le sondage et l'analyse de contenu sont les instruments les plus couramment utilisés pour la collecte de l'information en sciences sociales et en sciences humaines, tout simplement parce qu'ils sont plus faciles à utiliser que les autres. En contrepartie, l'observation directe et l'observation participante dépendent beaucoup de la nature du sujet traité. L'observation participante est particulièrement tributaire d'éléments contextuels et parfois même du hasard.

QUELLES SONT LES MODALITÉS D'UTILISATION DES INSTRUMENTS DE COLLECTE DE L'INFORMATION ?

Dans un projet de recherche, on doit préciser et justifier son choix en matière d'instruments de collecte de l'information : il faut également préciser les paramètres ou les modalités d'application de l'instrument ou des instruments retenus. Ces modalités varient selon l'instrument choisi. Ainsi, dans le cas de l'observation documentaire, il faut au moins indiquer la période de la

---

16. Pour plus d'information sur l'observation directe, voir Martineau (2016) et Van Campenhoudt et Quivy (2011).

consultation et préciser les sources privilégiées, et le type et la nature des publications officielles que l'on compte utiliser. Par exemple, s'il s'agit de documents statistiques ou de banques de données, il faut en établir la pertinence par rapport au sujet à traiter, à la base de calcul ou à l'accessibilité des séries statistiques.

Dans le cas de l'entretien et du sondage, il convient au moins de préciser et de justifier l'échantillon retenu (nombre et type de répondants). Pour l'entretien, il peut être utile d'annexer le protocole d'entretien ou d'indiquer les grands thèmes sur lesquels porteront les questions afin que l'on voie bien comment l'instrument servira à la vérification de l'hypothèse. Pour ce qui est du sondage, il est nécessaire de fournir des précisions concernant le format, le mode d'administration et les questions retenues.

Enfin, dans le cas de l'observation directe et de l'observation participante, il faut déterminer la nature du phénomène observé, la période d'observation ainsi que les modalités d'application de l'observation.

L'énoncé de ces précisions et justifications est nécessaire d'abord pour le chercheur lui-même, car il ne suffit pas de savoir quel instrument on va utiliser, il faut également être conscient des avantages à utiliser un instrument plutôt qu'un autre, ainsi que des difficultés éventuelles d'application de l'instrument retenu. Le projet de recherche contribue à cette prise de conscience et, ce faisant, facilite l'analyse ultérieure.

CRITÈRES D'ÉVALUATION DES TECHNIQUES DE COLLECTE DE L'INFORMATION

Le choix des instruments de collecte de l'information s'effectue sur la base de plusieurs critères précis que le chercheur devra clairement identifier. Voici une liste de cinq critères importants qui servent à évaluer et à comparer les techniques de collecte de l'information :

- La *réactivité d'une mesure* est la possibilité que cette mesure soit faussée par la présence de l'observateur.
- La *fiabilité de l'instrument de mesure* est la capacité de l'instrument de mesurer fidèlement un phénomène.

- La *validité d'un instrument de mesure* indique la capacité de l'instrument à bien mesurer le phénomène à l'étude ainsi que son potentiel de généralisation.

- La *facilité d'accès* aux données brutes et le *coût de la collecte* et de la mise en forme de ces données.

- Les *aspects/obstacles éthiques* (consentement et anonymat des sujets) liés à l'utilisation d'un instrument de collecte. Ces aspects sont discutés plus longuement dans la dernière étape.

Du point de vue de ces critères, l'observation documentaire a plusieurs avantages. La réactivité de la mesure obtenue par l'observation documentaire est faible et souvent totalement absente (parce que l'information est recueillie auprès de sources qui n'anticipent pas qu'un chercheur viendra les consulter) ; son coût est faible et son accès facile ; elle ne pose pas de problème éthique. Par contre, l'observation documentaire à un désavantage certain lié au fait que le chercheur est prisonnier des sources d'information existantes, donc pas libre de produire les données qui conviennent à certaines recherches. Autre désavantage de l'observation documentaire : la réactivité est toujours possible lorsque les gens qui fournissent l'information savent que cette dernière servira à la recherche.

Il existe à la fois des avantages et des inconvénients liés à l'utilisation des méthodes d'analyse de contenu automatisées. Un premier avantage est de permettre l'analyse à coût raisonnable de très grands corpus de données textuelles. Un deuxième avantage est que cette démarche donne une lecture parfaitement fidèle : les résultats de plusieurs codages indépendants, effectués avec la même méthode, sur le même corpus, par des opérateurs différents, concordent parfaitement. Un troisième avantage du codage automatisé est l'absence de biais caractéristiques du codage humain. Le principal inconvénient des méthodes d'analyse de contenu automatisée est qu'elles prennent difficilement en compte le contexte et l'expérience personnelle de la source textuelle étudiée. L'analyse automatisée est moins apte à capter la complexité que le codage manuel par des codeurs formés à cet effet.

L'avantage principal de l'entretien est qu'il établit un contact direct avec le sujet. L'entretien est donc recommandé lorsqu'un contact direct avec le sujet est souhaitable parce que l'information recherchée porte sur des questions trop complexes pour faire l'objet d'un sondage ou sur des comportements trop intimes pour être observés. Un autre avantage de l'entretien est sa validité élevée. Par contre, la réactivité de l'entretien est élevée parce que la collaboration du sujet est nécessaire. C'est particulièrement le cas des enquêtes «en milieu difficile» où l'enquêteur risque d'impressionner les enquêtés défavorisés ou vulnérables et donc d'imposer son point de vue s'il n'y prend pas garde. Le risque de réactivité est aussi élevé lorsque l'asymétrie sociale joue en faveur de l'enquêté (un haut dirigeant politique, par exemple) suscitant auprès du chercheur une certaine inhibition ou autocensure (Laurens, 2007). Pour limiter ou prévenir les effets néfastes de la réactivité, il est fortement conseillé au chercheur de citer le contenu de l'entretien et de donner accès aux données d'entretien de manière à permettre au lecteur d'évaluer par lui-même en toute transparence. Par ailleurs, les propos recueillis par entretien doivent autant que possible être corroborés par des résultats provenant d'autres sources. Le coût de l'entretien est en général plus élevé que celui des autres instruments de collecte de l'information. Enfin, l'entretien peut poser des problèmes éthiques. Nous y reviendrons à l'étape 8.

La réactivité de la mesure obtenue par voie de sondage varie, en principe, selon qu'on procède à un sondage en ligne ou par la poste (moins réactif) ou à un sondage par téléphone (plus réactif). Le faible coût des sondages en ligne (ou par téléphone) est un atout important dont les chercheurs savent tirer avantage. La validité de la mesure obtenue par sondage en ligne, postal ou téléphonique est moindre que la validité des mesures obtenues par sondage par entretien. Cela, parce que le sondage par entretien donne des possibilités d'observer les sujets que les autres méthodes ne donnent pas.

L'avantage principal de l'observation directe est la validité des mesures ainsi produite. Cela, parce que le chercheur est sur le terrain. Les désavantages de l'observation sont : le manque de fiabilité (observation personnelle donc subjective) ; le manque de potentiel de généralisation et la réactivité de la mesure obtenue. Paradoxalement, l'observation participante peut contribuer à diminuer la réactivité (c'est en partie pourquoi cette méthode a été inventée), parce qu'elle permet d'observer les sujets à leur insu.

RÉSUMÉ

1. La collecte de l'information doit être effectuée de façon sélective. Le cadre opératoire et la stratégie de vérification déterminent la nature de l'information à collecter.

2. Le projet de recherche doit préciser les instruments qui seront privilégiés par le chercheur pour la collecte de l'information. En sciences sociales et en sciences humaines, l'observation documentaire, l'analyse de contenu, l'entretien et le sondage sont les quatre instruments les plus utilisés pour ce faire.

3. Le projet de recherche doit également préciser et justifier les modalités d'application des instruments retenus pour la collecte de l'information sur la base de critères précis. C'est pour le chercheur un exercice nécessaire qui lui permettra de prévoir les difficultés éventuelles à ce niveau et lui facilitera l'analyse de son sujet d'étude.

Comment choisir une technique de collecte de l'information

1. Bien analyser le cadre opératoire afin de déterminer le type d'information nécessaire pour l'analyse que l'on se propose d'effectuer.

2. Apprécier au mieux la démarche exigée par chacune des principales méthodes de collecte de l'information.

3. Analyser attentivement le type d'information à collecter pour réaliser la recherche.

4. Choisir la méthode de collecte de l'information en fonction des étapes précédentes en justifiant son choix et en précisant les paramètres en fonction desquels la technique retenue sera utilisée.

LISTE DES OUVRAGES CITÉS

L'observation documentaire

BRIANS, Craig L., Lars WILLNAT, Jarod B. MANHEIM et Richard C. RICH, (2013), *Empirical Political Analysis, Research Methods in Political Science*, 8ᵉ édition, New York, Routledge.

LOUBET DEL BAYLE, Jean-Louis (2000), *Initiation aux méthodes des sciences sociales*, Paris, L'Harmattan : 167-202.

L'analyse de contenu

BERELSON, Bernard (1952), *Content Analysis and Communication Research*, New York, Free Press.

DAIGNEAULT, Pierre-Marc et François PÉTRY (sous la direction de) (2017, à paraître), *Les idées, le discours et les pratiques politiques au prisme de l'analyse des données textuelles*, Québec, Les Presses de l'Université Laval.

GIASSON, Thierry, Colette BRIN et Marie-Michèle SAUVAGEAU (2010), « La couverture médiatique des accommodements raisonnables dans la presse écrite québécoise : Vérification de l'hypothèse du tsunami médiatique », *Canadian Journal of Communication* vol. 35 (3), p. 431-435.

LERAY, Christian et Isabelle BOURGEOIS (2016), « L'analyse de contenu », dans Benoît Gauthier et Isabelle Bourgeois (sous la direction de), *Recherche sociale. De la problématique à la collecte des données*, 6ᵉ édition. Québec, Presses de l'Université du Québec, p. 427-454.

L'entretien

GINGRAS, Anne-Marie (2012), « Enquête sur le rapport des journalistes à la démocratie : le rôle des médiateurs en question », *Revue canadienne de science politique* 45 (3), p. 685-710.

LAURENS, Sylvain (2007), « Pourquoi » et « comment » poser les questions qui fâchent ? Réflexions sur les dilemmes récurrents que posent les entretiens avec des « imposants » », *Genèses*, n° 69, p. 112-127.

SAVOIE-ZAJC, Lorraine (2016), « L'entrevue semi-dirigée », dans Benoît Gauthier et Isabelle Bourgeois (sous la direction de), *Recherche sociale. De la problématique à la collecte des données*, 6ᵉ édition. Québec, Presses de l'Université du Québec, p. 337-363.

Le sondage

BLAIS, André et Claire DURAND (2016), « Le sondage », dans Benoît Gauthier et Isabelle Bourgeois (sous la direction de), *Recherche sociale. De la problématique à la collecte des données*, 6ᵉ édition. Québec, Presses de l'Université du Québec, p. 455-502.

GAUTHIER, Benoît (2016), « L'évaluation de la recherche par sondage », dans Benoît Gauthier et Isabelle Bourgeois (sous la direction de), *Recherche sociale. De la problématique à la collecte des données*, 6ᵉ édition. Québec, Presses de l'Université du Québec, p. 599-626.

LEMIEUX, Vincent et François PÉTRY (2010), *Les sondages et la démocratie*, Québec, Les Presse de l'Université Laval, p. 19-56.

L'observation directe et l'observation participante

MARTINEAU, Stéphane (2016), « L'observation directe », dans Benoît Gauthier et Isabelle Bourgeois (sous la direction de), *Recherche sociale. De la problématique à la collecte des données*, 6ᵉ édition. Québec, Presses de l'Université du Québec, p. 315-336.

VAN CAMPENHOUDT, Luc et Raymond QUIVY (2011), *Manuel de recherche en sciences sociales*, 4ᵉ édition revue et augmentée, Paris, Dunod, p. 150-157.

Traiter les données

Après avoir formulé le problème et déterminé la question spécifique de recherche à laquelle on compte répondre, après avoir énoncé l'hypothèse et construit le cadre opératoire devant orienter l'ensemble de la recherche et après avoir précisé et justifié le choix de la stratégie de vérification et des instruments de collecte de l'information qui seront utilisés, il nous faut maintenant indiquer comment effectuer l'analyse des données.

Le traitement des données est certainement l'un des exercices les plus difficiles du processus de recherche sur le plan opérationnel. Ainsi, pour simplifier, nous avons subdivisé cette étape en deux sous-étapes principales : la classification de l'information ou réduction de la base empirique et l'analyse proprement dite des données, la première étant préalable à la seconde.

COMMENT CLASSER L'INFORMATION ?

Après avoir exposé et justifié ses choix en matière d'instruments de collecte de l'information, le chercheur doit prévoir et imaginer la situation à laquelle il devra faire face au moment du traitement des données. En général, il détient une quantité importante de faits ou d'informations dont les liens ne sont pas toujours évidents ou existants, c'est pourquoi il faut dès lors transformer ces faits en données. Car les faits en eux-mêmes ne signifient rien, c'est le chercheur qui leur donne leur sens en les transformant en données qu'il analysera et interprétera par la suite selon la problématique de départ.

C'est essentiellement par un exercice systématique de classification de l'information que le chercheur parvient à transformer
les faits en données. Le terme «données» est réservé pour
qualifier l'information traitée.

> *La* classification de l'information *consiste à classer les faits*
> *recueillis à l'intérieur de catégories préalablement déterminées par les*
> *référents empiriques du cadre opératoire et la ou les méthodes d'analyse*
> *retenues*[17].

En indiquant ce que l'on doit observer dans la réalité pour
vérifier l'hypothèse, le cadre opératoire nous fournit par la même
occasion l'amorce de classification en fonction de laquelle nous
devons répartir les faits recueillis au moment de l'observation. À
cette sous-étape du traitement des données, il nous faut préciser
la méthode de classification de l'information que l'on compte
utiliser ; il s'agit essentiellement d'un rappel des catégories analytiques qui serviront de catégories de classification. Il faudra
également indiquer les paramètres en fonction desquels les faits
seront inclus dans les catégories de classification.

Reprenons notre exemple de recherche liant l'égalité des
sexes et la représentation politique des femmes dans un échantillon représentatif des pays ayant accédé à l'indépendance au
moment de la Première Guerre mondiale ou avant[18]. Supposons,
en premier lieu, que nous ayons choisi d'analyser ce lien par voie
corrélationnelle en utilisant un grand nombre de cas. L'égalité
entre les sexes est la variable dépendante et la représentation
politique des femmes est la variable indépendante. La variable
dépendante étant son propre indicateur, nous retenons l'indice
d'égalité des sexes en 2014 comme indicateur de la variable dépendante (c'est donc une variable de ratio). Pour la variable «représentation des femmes» nous choisissons comme indicateur le

---

17.   Pour plus de renseignements sur la classification de l'information, voir Loubet
del Bayle (2000) et Brians et al. (2013).

18.   L'échantillon à analyser n'inclut pas les pays ayant accédé à l'indépendance
plus récemment étant donné le faible nombre d'années depuis la première
femme élue dans ces pays. L'inclusion de ces pays dans l'étude créerait une
erreur de mesure entraînant des erreurs dans les résultats d'analyses.

nombre d'années entre 2014 et l'année de l'élection de la première femme au parlement national. Notre indicateur respecte le critère de validité énoncé à l'étape de la construction du cadre opératoire. En effet, il est logique de penser que, toutes choses étant égales par ailleurs, les dirigeantes politiques étant plus concernées par l'avancement de la cause de l'égalité entre les sexes, cette égalité aura tendance à être plus élevée dans les pays où les femmes exercent des responsabilités politiques depuis longtemps. L'indicateur respecte également le critère de fidélité d'un bon indicateur. En particulier, il est plus fiable qu'un indicateur reposant sur des données ponctuelles sujettes à changement. En outre, il garantit que la variable indépendante précède chronologiquement la variable dépendante, assurant ainsi que la direction de la causalité va bien de la représentation politique des femmes à l'égalité des sexes dans la société et non l'inverse. Les données de représentation politique des femmes sont tirées de la base de données PARLINE de l'Union interparlementaire.

Les indicateurs des deux variables deviennent automatiquement des catégories de classification, puisque c'est en fonction de ces indicateurs qu'il nous faudra classer l'information collectée. Le projet de recherche doit donc apporter des précisions et indiquer la procédure pour réaliser la classification. Dans l'exemple retenu, il faudra d'abord indiquer comment l'indice d'égalité des sexes que nous utilisons est calculé. Il faudra également indiquer le degré de fiabilité de cet indice, lui-même lié à la fiabilité des données collectées dans chacun des pays de l'échantillon et à la bonne réputation de l'organisation qui publie chaque année cet indice. Il faudra aussi démontrer de manière similaire la fiabilité des données des autres variables d'analyse[19].

Lorsqu'on traite des variables nominales, il faut attribuer un code numérique particulier à chaque catégorie de la variable nominale. Par exemple, supposons que nous cherchions à corréler l'indice d'égalité entre les sexes avec une variable distinguant les

---

19. Les valeurs +1 et 0 de la variable binaire «regroupement de pays» ne sont pas attribuées au hasard. En effet, nous postulons l'existence d'une corrélation positive entre le stade de développement d'un pays et l'égalité des sexes par hypothèse. Nous nous attendons à observer la plupart des valeurs élevées de la variable «égalité des sexes» dans les pays développés alors que la plupart des valeurs moins élevées de l'égalité des sexes coïncident avec les pays en voie de développement.

pays industrialisés, d'une part, et les pays dits en voie de développement, d'autre part, il faudrait alors donner un code numérique à chaque catégorie, par exemple la valeur +1 aux pays industrialisés et la valeur 0 aux pays en voie de développement

Pour bien visualiser comment le classement et la mise en forme des données des variables s'effectue en vue de leur analyse, il convient de construire un tableau de données regroupant les données pertinentes des pays à l'étude. Par convention, chaque rangée du tableau de données représente une observation (un pays) et chaque colonne du tableau représente une variable. À titre d'exemple, le tableau qui suit présente le classement simplifié des données d'analyse de la relation entre l'indice d'égalité entre les sexes, le PIB par tête et le nombre d'années depuis la première femme élue dans cinq pays de notre échantillon, classés par ordre décroissant de l'indice d'égalité des sexes.

TABLEAU : EXEMPLE SIMPLIFIÉ D'UN TABLEAU DE DONNÉES D'ANALYSE

NUMÉRO D'OBSERVATION	PAYS	INDICE D'ÉGALITÉ DES SEXES	PIB PAR TÊTE EN MILLIERS DE DOLLARS AMÉRICAINS	NOMBRE D'ANNÉES DEPUIS LA PREMIÈRE FEMME ÉLUE
1	Suède	.817	41.9	93
2	Canada	.746	41.5	92
3	Bolivie	.705	5.6	48
4	Corée Sud	.640	31.9	66
5	Iran	.580	16.2	51

Notez que nous avons inclus une variable indépendante supplémentaire dans le tableau : le PIB par tête pour 2013 tiré de la base de données de la Banque mondiale. Le PIB par tête est inclus comme variable de contrôle pour s'assurer que même si l'égalité des sexes est influencée par le PIB par tête, il reste une part d'influence attribuable à la représentation des femmes indépendamment du PIB par tête.

Supposons maintenant que nous ayons choisi d'effectuer notre recherche sur le lien entre le nombre d'années pendant lesquelles les femmes ont exercé une responsabilité politique et l'égalité entre les sexes par voie d'enquête qualitative sous la forme d'une étude de cas en vérifiant la vraisemblance de l'hypothèse selon laquelle les politiques d'égalité entre les sexes ont plus de chances d'être mises en œuvre et de donner des résultats là où l'exercice de responsabilités politiques par des femmes remonte loin dans le temps. L'explication théorique comporte un certain nombre d'implications (conditions causales) qui établissent sa vraisemblance. Ainsi le lien posé en hypothèse risque fort d'être influencé par le nombre et le type de postes de responsabilité occupés par les femmes depuis que la première d'entre elles a été élue, etc. L'exercice de classement de l'information consistera donc à : 1) établir la liste détaillée de ces implications et 2) indiquer sous forme de tableau analytique, pour chaque condition, si elle est présente ou absente dans le cas étudié.

COMMENT ANALYSER LES DONNÉES ?

La classification de l'information nous a permis d'obtenir un corpus structuré de données qu'il nous faut maintenant analyser. Il existe différents procédés auxquels on peut faire appel pour l'analyse des données. Il ne s'agit pas ici de faire le point sur chacun d'entre eux, mais de présenter brièvement ceux utilisés le plus couramment en sciences sociales. Et pour les mêmes raisons évoquées au moment de la présentation des instruments de collecte de l'information, nous n'allons pas non plus détailler ici les modes d'utilisation de ces procédés. On consultera à cet égard les ouvrages spécialisés déjà publiés sur le sujet.

> *L'*analyse statistique ou probabiliste *vise à établir des relations de covariations mathématiques entre les variables déterminées dans le cadre opératoire. L'utilisation de cette méthode exige que les données faisant l'objet d'analyse statistique puissent être quantifiées par dénombrement ou mesure et qu'elles soient suffisamment nombreuses pour pouvoir faire intervenir la loi des grands nombres.*

Il peut être utile de recourir aux statistiques aux deux étapes du traitement des données. Elles peuvent tout d'abord être utilisées pour décrire les données qui sont alors présentées sous la forme de moyenne arithmétique, d'écart par rapport à la moyenne, d'écart type, de médiane et de quartile ou encore, pour établir, dans l'analyse, des relations mathématiques entre les variables par la construction d'échelles, l'établissement de pourcentages ou d'indices et le calcul de corrélations ou de régression.

L'analyse statistique doit être privilégiée chaque fois que la nature du problème et le type de données en cause le permettent, car elle accroît indiscutablement la précision de l'analyse et réduit ainsi les risques de biais. Il faut cependant être conscient du fait que cette technique comporte aussi ses risques et qu'on doit l'utiliser avec minutie. C'est finalement le nombre de cas à traiter qui détermine s'il est préférable d'effectuer une analyse statistique dans le travail de recherche : l'analyse statistique n'est recommandée que si le nombre de cas est suffisamment élevé, soit environ une centaine de cas pour fixer un plancher un peu arbitraire. Cela tient simplement au fait que l'analyse statistique est une analyse probabiliste, Naturellement, plus le nombre d'observations est élevé, plus les résultats d'analyse statistique seront valides et fiables.

L'étape d'analyse des données d'un projet de recherche vise à montrer comment le chercheur s'y prendra pour analyser les données une fois collectées. On ne vous demandera donc pas de procéder aux analyses. Nous procéderons toutefois à certaines analyses dans le but de montrer au lecteur ce qu'il est possible de faire avec nos données.

Illustrons l'utilisation de l'analyse statistique pour estimer de manière chiffrée la relation entre l'indice d'égalité des sexes (variable dépendante), le PIB par tête et le nombre d'années depuis l'élection de la première femme (variables indépendantes) sur un grand nombre d'observations (pays). Nos hypothèses prédisent que le PIB par tête et le nombre d'années depuis que la première femme a été élue influencent à la hausse l'égalité des sexes. Une façon simple de tester ces prédictions est de mesurer l'association entre nos variables en construisant des tableaux de contingence aussi appelés tableaux croisés. Voici les tableaux croisés pour les données de la variable dépendante (indice d'égalité entre femmes, élevé ou moins élevé) et des deux variables indépendantes (PIB par tête élevé et moins élevé et nombre d'années depuis que la première femme a été élue).

TABLEAU ASSOCIANT LES FRÉQUENCES OBSERVÉES DES VARIABLES
« ÉGALITÉ ENTRE SEXES » ET « PIB PAR TÊTE »

ÉGALITÉ ENTRE SEXES	PIB ÉLEVÉ	PIB MOINS ÉLEVÉ	TOTAL DES RANGÉES
Égalité élevée	8	4	12
Égalité peu élevée	4	8	12
Total des colonnes	12	12	24

TABLEAU ASSOCIANT LES FRÉQUENCES OBSERVÉES DES VARIABLES
« ÉGALITÉ ENTRE SEXES » ET « NOMBRE D'ANNÉES »

ÉGALITÉ ENTRE SEXES	NOMBRE D'ANNÉES ÉLEVÉ	NOMBRE D'ANNÉES MOINS ÉLEVÉ	TOTAL DES RANGÉES
Égalité élevée	9	2	11
Égalité moins élevée	3	10	13
Total des colonnes	12	12	24

Les valeurs du premier tableau indiquent qu'il y a une association positive entre l'égalité des sexes et le PIB par tête. En effet les deux tiers des 12 pays à PIB élevé (première colonne du tableau) démontrent une égalité des sexes élevée. À l'inverse, les deux tiers des 12 pays à PIB peu élevé (deuxième colonne du tableau) présentent une égalité des sexes peu élevée. Les données appuient donc l'hypothèse d'une association positive entre égalité des sexes et PIB par tête. Les données du second tableau appuient l'hypothèse d'une association positive entre l'égalité des sexes et le nombre d'années depuis que la première femme a été élue. L'association est encore plus forte que celle du premier tableau. Cela peut être confirmé de manière chiffrée par des tests statistiques, le test du Chi-carré, par exemple, qui permet de calculer avec précision si l'association entre deux ou plusieurs variables est forte et si elle est statistiquement significative ou si elle est simplement due au hasard[20].

Une autre façon d'associer statistiquement une variable dépendante à une ou plusieurs variables indépendantes consiste à présenter visuellement cette association dans un diagramme de dispersion. Par exemple, la première des deux figures suivantes montre le diagramme de dispersion (nuage de points) obtenu en corrélant les indices d'égalité des sexes dans notre échantillon de 24 pays avec le PIB par tête dans chacun de ces pays. Chaque point du diagramme représente donc l'intersection de la valeur de ces deux variables pour un pays. Notez la droite qui traverse le

---

20. Le test du Chi-carré compare les fréquences (ou pourcentages) observées dans chaque cellule du tableau croisé aux fréquences espérées, c'est-à-dire aux fréquences qui auraient été obtenues dans chaque cellule si l'égalité des sexes n'était pas influencée par nos deux variables indépendantes. Plus le Chi-carré calculé est élevé, plus l'association est significative statistiquement, autrement dit, moins elle est due au hasard. Le Chi-carré du premier tableau = 2,67, une valeur faiblement significative statistiquement ; alors que le Chi-carré du deuxième tableau = 8,22, soit une valeur hautement significative.

diagramme en diagonale de bas en haut. Cette droite dite «droite
de régression» représente les valeurs de la variable dépendante
(égalité des sexes) telles qu'elles sont estimées (ou prédites) sur la
base du PIB par tête pour chaque pays. Les écarts verticaux entre
chaque point du diagramme et la droite de régression représentent les «résidus de régression», c'est-à-dire la portion de
l'égalité des sexes constatée dans chaque pays, qui n'est pas
«expliquée» par le PIB par tête.

DIAGRAMME DE DISPERSION DES VARIABLES «ÉGALITÉ DE SEXES» ET «PIB PAR TÊTE»

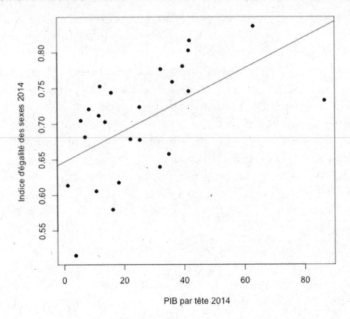

Supposons que tous les points du diagramme de dispersion
soient situés exactement sur la droite de régression. Cela voudrait
dire que les variations de la variable «PIB par tête» expliquent la
totalité des variations de la variable «égalité des sexes»; autrement
dit la corrélation entre ces deux variables serait parfaitement
positive. La corrélation observée sur la base de notre échantillon
de 24 pays n'est évidemment pas parfaite; mais le patron du
diagramme de dispersion indique que la relation entre la variable
égalité des sexes et le PIB par tête est positive, plutôt linéaire et
d'assez forte intensité.

La pente de régression de l'égalité des sexes sur le PIB par tête = 0.02, ce qui signifie qu'à chaque augmentation de mille dollars dans le PIB par tête correspond une augmentation de 0.2 point de pourcentage dans l'indice d'égalité des sexes. La force de l'association se mesure également par le coefficient de détermination (aussi appelé R-carré) qui s'interprète comme le pourcentage de la variation dans la variable dépendante qui est expliquée par la variation dans la variable indépendante. Le R-carré obtenu en régressant l'égalité des sexes sur le PIB par tête = 0.50, indiquant que 50 % de la variation dans l'égalité des sexes serait expliquée par la variation dans le nombre d'années.

La figure suivante montre le diagramme de dispersion obtenu en corrélant les indices d'égalité des sexes avec le nombre d'années depuis que la première femme a été élue dans chacun de pays de notre échantillon. Chaque point du diagramme représente donc l'intersection de la valeur de ces deux variables pour un pays. Notez que la droite de régression qui traverse le deuxième diagramme en diagonale (=0.03) a une pente plus accentuée et que le R-carré = 0.69. Cela signifie que l'égalité des sexes est encore plus fortement corrélée avec le nombre d'années depuis l'élection de la première femme qu'avec le PIB par tête.

DIAGRAMME DE DISPERSION DES VARIABLES «ÉGALITÉ DE SEXES» ET «NOMBRE D'ANNÉES DEPUIS L'ÉLECTION DE LA PREMIÈRE FEMME»

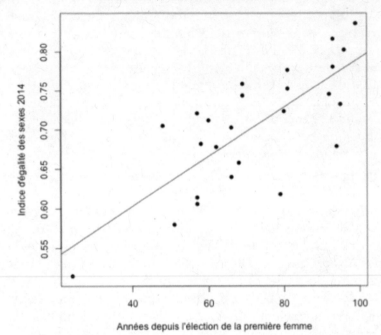

Les techniques d'analyse quantitative utilisées dans l'exemple qui précède (Chi carré; régression linéaire) sont relativement simples à comprendre et on peut y accéder facilement avec des programmes logiciels pilotés par menu n'exigeant pratiquement pas de préparation. Les lecteurs débutants qui souhaitent se familiariser avec ces techniques peuvent consulter l'ouvrage de Fox traduit et adapté par Imbeau (1999). L'ouvrage de Pétry et Gélineau (2009) va un peu plus loin dans l'analyse de régression. Enfin, la lecture de l'ouvrage de Guay (2013) est recommandée aux lecteurs qui souhaitent utiliser le logiciel *open source* R pour leurs analyses.

> *L'*analyse qualitative *est un exercice structuré de mise en relation logique de variables et, par voie de conséquence, de catégories de données. C'est le type d'exercice par lequel on tente de reproduire logiquement un schéma mental de l'évolution d'un phénomène ou d'une interrelation entre phénomènes, en essayant de vérifier, par l'observation, le degré de correspondance entre cette construction de l'esprit et la situation réelle. Naturellement, cette façon de procéder, parce qu'elle ne fait pas appel à la quantification, exige du chercheur une attitude d'extrême prudence étant donné les éléments de subjectivité pouvant intervenir au moment de l'interprétation.*

Il ressort clairement de notre définition que l'analyse qualitative et l'analyse quantitative, loin de s'opposer l'une à l'autre, se complètent mutuellement (Dumez, 2011). L'analyse qualitative peut prendre des formes très variées qui sont exposées de manière assez complète dans l'ouvrage de Miles, Huberman et Saldaña (2014) ainsi que dans le *Dictionnaire des méthodes qualitatives en sciences humaines* de Mucchielli (2009).

> *Le* pattern-matching *consiste à construire, sur le plan du langage, une reproduction logique la plus fidèle possible d'un comportement séquentiel et de vérifier le degré de correspondance entre cette construction de l'esprit et la situation réelle.*

Pour reprendre notre exemple de l'égalité des sexes, supposons que l'on veuille étudier le lien entre l'augmentation de la représentation politique des femmes et les progrès en matière d'égalité des sexes. L'étude pourrait porter sur l'évolution sur plusieurs années ou décennies à l'intérieur d'un même pays ou à un même moment historique dans plusieurs pays. Un rôle plus important des femmes en politique entraîne, par hypothèse, une amélioration dans l'indice d'égalité des sexes. Nous avons donc construit mentalement un modèle logique reproduisant une situation empirique. Pour établir la validité de ce modèle, il faut observer la situation réelle afin d'en extraire des faits qui confirmeront que les conséquences anticipées sur le plan du raisonnement logique existent dans la situation réelle. Il faut toujours être à l'affût, dans ces situations, des menaces potentielles à la validité du modèle. Par exemple, la croissance économique pourrait provoquer les conséquences attendues (une plus grande égalité des sexes) pour des raisons qui n'ont pas grand-chose à voir avec la représentation politique des femmes. Par conséquent, la confirmation de la validité du modèle exige que l'on tienne compte de cette autre explication.

Le *pattern-matching* exige donc une étude comparative structurée entre le modèle imaginé par le chercheur et sa contrepartie sur le plan de la situation empirique. Étant donné que l'on recourt rarement à la quantification dans ce type d'analyse qualitative, bien qu'on utilise souvent des statistiques descriptives, il faut accorder beaucoup d'importance à la structuration logique du cadre opératoire dont le lien est encore plus étroit ici avec l'étape du traitement des données.

> *La* construction d'explication *est une autre forme d'analyse qualitative; c'est en quelque sorte une variante du pattern-matching. C'est le procédé analytique, associé à l'étude de cas explicative, par lequel le chercheur propose une explication logique en reliant des variables entre elles et tente de valider ou d'invalider l'explication proposée en la comparant à la situation empirique.*

Le procédé exige au moins deux opérations de base : la formulation initiale d'un énoncé théorique ou d'une proposition relative à une politique ou un comportement social et la confrontation des résultats de la recherche empirique avec l'énoncé ou la proposition initiale. Généralement, la validité d'une telle explication n'est assurée que par une étude comparative de cas de même nature.

Ce type d'analyse a été utilisé par Barrington Moore (1969) dans son célèbre ouvrage sur les origines sociales de la démocratie et de la dictature, dans lequel il énonçait la proposition initiale que les classes sociales dominantes jouent un rôle déterminant dans l'orientation d'une société vers l'un ou l'autre type de régime politique. Son ouvrage est le résultat d'une analyse comparative de six sociétés nationales où il a tenté de vérifier la validité de l'explication postulée à partir d'une grille analytique qu'il a appliquée, de façon normative, à chacune des sociétés retenues.

Ce type d'analyse qualitative peut exiger également d'élaborer des hypothèses rivales que l'on doit infirmer pour que l'explication de base soit validée. Ici encore, il faut construire minutieusement un cadre opératoire de façon à préciser au mieux les catégories de classification de l'information et éviter le plus possible toute confusion quant aux interrelations des variables.

Les hypothèses causales en politique comparée et en relations internationales sont parfois testées sur la base d'arguments contrefactuels.

> *Les* arguments contrefactuels *sont des situations virtuelles qui se seraient produites si le facteur dont on cherche à mesurer l'effet causal n'avait pas eu lieu. L'écart entre la réalité telle qu'elle est influencée par le facteur en question et l'argument contrefactuel mesure l'effet causal.*

Un argument contrefactuel favori du grand public consiste à évaluer si la Seconde Guerre Mondiale aurait pu être évitée si Hitler n'avait pas existé. Même si l'argument contrefactuel donné en exemple semble manquer de sérieux, la méthode contrefactuelle a fait l'objet d'études scientifiques poussées. Barrington Moore (1996) l'utilise sans explicitement la mentionner dans son étude des origines sociales de la démocratie et de la dictature citée plus haut. La citation qui suit résume son argument principal.

«Sans la démocratisation préalable de l'Angleterre, les méthodes réactionnaires adoptées en Allemagne et au Japon n'auraient guère été possibles. Sans la foi capitaliste et les expériences réactionnaires, la méthode communiste aurait été tout autre chose, à supposer qu'elle soit venue à exister.»

Une autre méthode d'analyse qualitative utile pour tester les hypothèses causales est la reconstitution de processus (en anglais, *process-tracing*).

> *La reconstitution de processus a pour objectif de clarifier et de suivre à la trace le mécanisme liant une cause et un effet en le découpant en étapes ou en symptômes théoriques distincts. Le chercheur procède ensuite à la vérification empirique visant à établir si les étapes sont présentes et s'enchaînent comme le prévoit la théorie.*

Grâce à la reconstitution théorique fidèle de l'enchaînement causal ayant produit une situation observée, la reconstitution de processus permet aux chercheurs de confronter des hypothèses théoriques à des données difficilement quantifiables.

Dans son ouvrage célèbre intitulé *Groupthink: Why Decisions Fail* (1982), le psychologue américain Irving Janis a utilisé une méthode ressemblant à la reconstitution de processus pour expliquer pourquoi la décision du président Kennedy et d'un petit groupe de proches collaborateurs d'envahir la Baie des Cochons en 1961 s'est soldée par un lamentable échec, alors que sa décision lors de la Crise des missiles de Cuba de 1962 a été un éclatant succès. Janis a tout d'abord défini quatre symptômes théoriques dont la présence est associée un échec de groupe : l'illusion de l'invulnérabilité du groupe ; la présence dans le groupe de gardiens de la pensée orthodoxe ; l'illusion de l'unanimité dans le groupe et la suppression des doutes personnels. Il a ensuite montré comment le président Kennedy et son proche entourage ont été victimes de ces quatre symptômes lors de l'épisode de la Baie des Cochons et comment ils ont su y résister lors de la Crise des missiles.

Une autre méthode d'analyse qualitative, souvent utilisée par les historiens, est l'analyse documentaire. Si l'observation documentaire est une méthode de collecte des données, elle peut devenir une technique d'analyse importante où l'on distingue deux étapes : celle de l'analyse préliminaire et celle de l'analyse proprement dite. L'analyse préliminaire est une évaluation critique du document. Plus précisément, on procède par la description du contexte, l'identification de l'auteur ou des auteurs du texte, l'authenticité et la fiabilité du texte, la nature du texte et enfin, l'identification des concepts clés et la logique interne du texte. Ces étapes dûment complétées permettent de passer à l'analyse proprement dite à partir de la problématique et de son hypothèse de départ. C'est un mouvement de déconstruction/ reconstruction des données que permet cette forme d'analyse. Une variante de cette technique d'analyse est celle qui consiste à analyser le document à partir de la segmentation des temps : présent, passé, futur. Cet ordre des temps s'explique par le fait que l'on situe le document dans son contexte (présent), ensuite on revient en arrière pour comprendre comment il est né (passé) et enfin, on mesure les impacts que ce dernier a eus dans les événements analysés (futur).

L'analyse qualitative est le type d'analyse de données qui pose le plus de problèmes et qui présente les plus grands dangers sur le plan de l'interprétation. En recourant peu à la quantification – ce qui, soit dit en passant, n'est pas une tare en soi et s'impose souvent par la nature du problème à traiter –, on élargit en effet le champ de l'interprétation subjective et on accroît par conséquent les risques de biais d'analyse entraînant des erreurs dans les résultats. L'analyse qualitative est le procédé de traitement de données qui exige du chercheur le plus de discipline, le plus de rigueur et l'attention la plus soutenue. Le cadre opératoire est plus important dans l'analyse qualitative que dans un autre type d'analyse, car aucune opération spécifique concrète ne l'écarte du traitement des données : c'est sa rigueur qui fait foi de tout.

Toutefois, pour parer à ces difficultés et ainsi augmenter la rigueur dans l'emploi de techniques d'analyse qualitative, on peut faire appel à ce que Miles, Huberman et Saldaña (2014) nomment les tactiques de vérification ou de confirmation des résultats. Sans procéder à la nomenclature complète de ces tactiques, il convient tout de même de faire une présentation rapide des principaux outils qu'elles utilisent. Un premier mode de validation des résultats intéressants est celui basé sur la signification des cas atypiques. Cette tactique vise à identifier les exceptions que l'on relève lors de l'analyse des données et à trouver en quoi ces exceptions diffèrent des autres cas standards.

Ainsi, nous pouvons identifier, dans le diagramme de dispersion en page 104, un pays (la Norvège) pour lequel l'indice d'égalité des sexes (0.84) est sensiblement supérieur à la valeur espérée sur la base du PIB par tête (0.63). En langage statistique, la Norvège représente une valeur extrême aussi appelée valeur aberrante, parce qu'elle ne respecte pas bien le patron d'ensemble des autres pays dans notre échantillon (les cas standards). La Norvège mériterait donc une analyse qualitative spéciale destinée à expliquer en profondeur pourquoi elle diffère des cas plus standards.

Une seconde tactique est celle de la vérification des explications rivales. Cette tactique consiste à avancer plusieurs explications rivales jusqu'à ce que l'une d'entre elles s'impose progressivement, en s'appuyant sur des preuves plus nombreuses, plus convaincantes et plus variées. Une dernière tactique est celle de la triangulation qui propose la combinaison de plusieurs instruments de collecte de l'information en vue de compenser le biais inhérent à chacun d'eux et permettant ainsi de vérifier la justesse et la stabilité des résultats produits. Il existe plusieurs types de triangulation parmi lesquels on trouve la triangulation méthodologique qui explicitement propose de recourir à plusieurs instruments de collecte de données pour assurer une diversité dans l'information recueillie, et la triangulation théorique qui repose sur la construction de plusieurs cadres théoriques permettant une interprétation large des données.

QUELLES PRÉCISIONS FAUT-IL APPORTER AUX MODALITÉS D'APPLICATION DE L'INSTRUMENT D'ANALYSE ?

Il faut préciser et justifier son choix d'instrument d'analyse des données ainsi que les modalités d'application de l'instrument retenu, de façon à savoir comment procéder avant même d'entreprendre la recherche. Ainsi, on clarifie dès le départ la démarche à suivre, on réduit les risques de confusion ultérieure et, surtout, on prévoit et peut imaginer des solutions aux problèmes pratiques qui risquent de se poser au cours de la recherche.

Les modalités d'application sont propres à chaque instrument d'analyse de données et se précisent à mesure que l'instrument se complexifie. Par exemple, si l'on choisit de faire appel à l'analyse de contenu, il nous faut préciser et parfois justifier les modalités d'application pour ce qui est de l'échantillonnage, de l'unité de quantification et des catégories d'analyse retenues. Dans le cas de l'analyse de contenu statistique, il faut également préciser et justifier la forme de calcul retenue. Enfin, il est approprié de joindre à cette partie du projet de recherche une copie du protocole ou de la grille d'analyse qui sera utilisé.

Ces précisions sont essentielles pour le chercheur lui-même qui ne doit pas attendre d'être rendu à l'étape de la recherche concrète pour se demander comment procéder, car il s'expose alors à des retards considérables qui risquent d'avoir des effets négatifs sur la cohérence de la démonstration. Il lui faut savoir dès le départ comment procéder tant sur le plan de la collecte de l'information que sur celui du traitement des données. Les étapes du projet de recherche étant interreliées, des difficultés trop importantes au niveau du traitement des données peuvent empêcher la vérification de l'hypothèse. Il se peut aussi que certaines difficultés de fonctionnement à ce niveau obligent le chercheur à modifier légèrement ou substantiellement le cadre opératoire. Et il est certainement préférable de ne pas être rendu trop loin dans la recherche pour le savoir.

Le traitement des données constitue donc une étape centrale du travail de recherche, puisque c'est sur elle que repose ultimement la vérification de l'hypothèse. Il est par conséquent tout à fait normal d'apporter la meilleure attention possible aux choix qui devront être faits à cette étape du projet de recherche.

RÉSUMÉ

1. Le traitement des données est l'une des tâches les plus difficiles du processus de recherche. Elle comprend deux étapes principales : la classification de l'information ou réduction de la base empirique et l'analyse proprement dite des données.

2. La classification de l'information permet de transformer les faits bruts en données. Elle consiste à classer les faits recueillis à l'intérieur de catégories prédéterminées en fonction du cadre opératoire et de l'instrument d'analyse retenu.

3. Le chercheur doit préciser la procédure qu'il retiendra pour effectuer la classification de l'information.

4. Sans un traitement analytique, les catégories de données obtenues ne veulent pas dire grand-chose. Plusieurs instruments ou méthodes peuvent être utilisés pour analyser et interpréter les données dont l'analyse qualitative, l'analyse de contenu et l'analyse statistique.

5. Dans le projet de recherche, le chercheur doit préciser et justifier le choix de l'instrument retenu.

6. Le projet de recherche doit aussi préciser les modalités d'application de l'instrument retenu selon les modes d'utilisation propres à chaque instrument.

Comment déterminer la nature du traitement des données

1. S'assurer d'avoir bien compris les implications du cadre opératoire.

2. Bien connaître la nature de l'information en fonction de laquelle on devra travailler.

3. Déterminer les catégories en fonction desquelles il faudra classifier l'information.

4. S'assurer d'avoir bien compris le type de démarche que supposent les principales méthodes d'analyse des données.

5. Choisir la méthode d'analyse des données appropriée en fonction des étapes 1, 2 et 4.

6. Justifier son choix et préciser les principaux paramètres en fonction desquels on appliquera la méthode retenue pour l'analyse des données.

LISTE DES OUVRAGES CITÉS

Classification de l'information

BRIANS, Craig L., Lars WILLNAT, Jarod B. MANHEIM et Richard C. RICH (2013), *Empirical Political Analysis, Research Methods in Political Science*, 8ᵉ édition, New-York, Routledge.

LOUBET DEL BAYLE, Jean-Louis (2000), *Initiation aux méthodes des sciences sociales*, Paris, L'Harmattan, p. 141-162.

Analyse statistique

FOX, William (1999), *Statistiques sociales*, traduit et adapté par Louis M. IMBEAU, Québec, Les Presses de l'Université Laval.

GUAY, Jean-Herman (2013), *Statistiques en sciences sociales avec R*, Québec, Les Presses de l'Université Laval.

PÉTRY, François et François GÉLINEAU (2009), *Guide pratique d'introduction à la régression en sciences sociales*, 2ᵉ édition, Les Presses de l'Université Laval.

Analyse qualitative

DUMEZ, Hervé (2011), « Qu'est-ce que la recherche qualitative ? », *Le Libellio d'Aegis*, 7 (4), p. 47-58.

JANIS, Irving L. (1982). *Groupthink: psychological studies of policy decisions and fiascoes*, Boston, Houghton Mifflin.

MILES, Matthew B., A. Michael HUBERMAN et Johnny SALDAÑA (2014), Qualitative Data Analysis, A Methods Sourcebook, 3ᵉ édition, Thousand Oaks, Sage.

MOORE, Barrington (1969), *Les origines sociales de la dictature et de la démocratie*, Paris, F. Maspéro, 1969.

MUCCHIELLI, Alex (2009), *Dictionnaire des méthodes qualitatives en sciences humaines et sociales*, Paris, Armand Colin.

Énoncer des conclusions anticipées

À cette étape du travail, il nous reste à énoncer les conclusions anticipées de la recherche, les difficultés et les limites qu'elle comporte et, le cas échéant, les problèmes éthiques qu'elle soulève.

ÉNONCER LES CONCLUSIONS ANTICIPÉES

À la fin de la partie traitant du cadre opératoire, nous avons précisé l'orientation des changements de valeur qu'il nous fallait constater pour infirmer ou confirmer l'hypothèse. Depuis, nous avons franchi d'autres étapes qui nous ont permis d'étudier plus en profondeur la nature de l'information disponible et le type de traitement de données à utiliser. Par conséquent, nous possédons maintenant suffisamment d'informations pour anticiper les conclusions de la recherche quant à la vérification de l'hypothèse sur la base de nos connaissances actuelles.

Il nous faut donc énoncer ces conclusions anticipées qui viennent ainsi mettre un terme au développement logique du projet de recherche, car, en précisant les conclusions éventuelles de notre recherche, nous nous offrons à nous-mêmes et nous offrons à d'autres une indication supplémentaire pour mieux juger de la cohérence et de la portée de ce projet. Nous démontrons également que l'effort initial d'organisation de la recherche est suffisamment structuré pour nous permettre de passer à la phase d'actualisation. Enfin, nous ajoutons un élément de précision pour mieux évaluer notre travail au cours des étapes antérieures du projet de recherche.

Il importe ici de bien comprendre la nature de l'opération.

> *L'énoncé de* conclusions anticipées *assure et complète le développement logique du projet de recherche, mais il ne s'agit en aucune façon de conclusions auxquelles il faut absolument aboutir au terme de la recherche.*

Ce sont des conclusions plausibles, sur la base de nos connaissances du moment, et seule la recherche complétée pourra nous permettre de déterminer si ces conclusions anticipées sont valides ou non. Du point de vue du processus de recherche lui-même, cela n'a aucune importance que ces conclusions se révèlent vraies ou fausses ; ce qui importe, c'est que les conclusions de la recherche auxquelles nous parviendrons soient appuyées sur une démonstration logique et rigoureuse. Et cela sera d'autant possible que le projet de recherche aura été soigneusement préparé.

En plus d'énoncer des conclusions anticipées, nous devons également faire état des limites du projet et des difficultés appréhendées en particulier en ce qui concerne l'application du cadre opératoire, la collecte de l'information et le traitement des données. Ces difficultés appréhendées ne doivent bien sûr pas être insurmontables, car il ne vaudrait pas la peine alors d'entreprendre la recherche. Mais nous devons quand même envisager que des problèmes puissent surgir à l'une ou l'autre étape antérieure. C'est la marque d'un chercheur compétent que de prévoir ces problèmes éventuels, d'en supputer les conséquences et d'imaginer des solutions de rechange. Il faut savoir par exemple que l'inaccessibilité de tel type d'information ou le traitement insuffisant de telles catégories de données peut entraîner une modification du cadre opératoire ou même, à la limite, une reformulation de l'hypothèse. Le projet de recherche doit donc faire état également de ces problèmes éventuels et de leurs incidences possibles. Le chercheur doit aussi faire état des limites du projet, c'est-à-dire des problèmes et des difficultés théoriques ou empiriques qui, pour des raisons diverses, ne peuvent être surmontés dans le cadre du projet.

CONSIDÉRATIONS ÉTHIQUES

Depuis plusieurs années, la communauté scientifique a pris conscience des aspects éthiques liés à la production du savoir et à la diffusion de ses résultats. Non seulement reconnaît-on aujourd'hui que la pratique scientifique n'est pas neutre puisqu'influencée par les valeurs du chercheur, mais on accepte aussi l'idée que la production scientifique ne se fait pas dans un vacuum moral. C'est pourquoi plusieurs universités et organismes subventionnaires dans le monde exigent maintenant que les recherches impliquant des sujets humains soient approuvées par des comités d'éthique de la recherche. Cette exigence s'applique également aux thèses de doctorat et aux mémoires de maîtrise.

De façon générale, on considère que les recherches scientifiques doivent respecter cinq principes éthiques de base (Burnham et al. 2008, p. 286-288). Le premier est *d'éviter de causer du tort* soit dans le cadre de l'exercice de la recherche (cochercheurs ou sujets de la recherche), soit au moment de la diffusion des résultats de la recherche. Les possibilités sont variées allant des conflits entre chercheurs à l'atteinte à la réputation de personnes ou de groupes de personnes. On ne peut pas toujours contrôler le déroulement d'une recherche ou ses conséquences, mais on doit toujours avoir le souci de ne blesser personne par notre pratique de la recherche. Si une recherche comporte des risques pour les participants, le milieu naturel, ou encore la sécurité des personnes ou des institutions, le chercheur devra s'attacher à montrer que les *avantages de sa recherche sont supérieurs aux risques* qu'elle entraîne. Les avantages d'une recherche sont étroitement liés à sa pertinence scientifique, à sa rigueur méthodologique et à l'importance des résultats obtenus. Les risques sont les risques connus ou éventuels pour la santé et pour le bien-être des sujets.

Un deuxième principe concerne *l'obligation de vérité* tant en ce qui concerne l'utilisation des sources (plagiat) que la manipulation des données. Dans un contexte où les fonds de recherche sont de plus en plus difficiles à obtenir et où la pression est de plus en plus forte pour produire des résultats, il peut arriver que la tentation soit forte de fausser les données d'une recherche ou l'interprétation qu'on en fait. Les médias font état, assez rarement fort heureusement, de telles entorses au principe de vérité. Qu'il s'agisse d'un travail de fin de trimestre, d'une thèse de doctorat ou d'une publication scientifique d'envergure, chacun a la responsabilité de divulguer ses sources et de s'assurer de la véracité des résultats obtenus.

Le chercheur doit, en troisième lieu, s'assurer qu'il obtiendra le *consentement libre et éclairé des sujets*. Ce principe comporte trois éléments :

» S'assurer que le consentement est éclairé, c'est-à-dire que les sujets peuvent décider de participer ou non à une recherche *en toute connaissance de cause*. Pour ce faire, les sujets devront recevoir toute l'information pertinente sur le projet et sur le rôle qu'ils seront appelés à jouer dans des termes qu'ils peuvent comprendre.

» S'assurer que le consentement est libre. Ce qui veut dire qu'aucune contrainte ou influence indue n'est exercée sur les sujets, qu'une période raisonnable de réflexion est accordée au sujet, et que les sujets sont informés qu'ils peuvent en tout temps se retirer de la recherche

» S'assurer que le consentement est clairement exprimé. Le consentement écrit est indispensable lorsque la recherche entraîne des risques (physiques ou moraux) pour le sujet.

Les deux derniers principes éthiques concernent le *respect de la confidentialité et de l'anonymat* des informations collectées. Ces deux notions sont très liées, mais tout de même différentes. L'anonymat fait référence au caractère privé des informations. Tout individu a le droit de limiter l'accès à de l'information le concernant. En recherche, l'anonymat correspond à une situation où le chercheur est incapable de retracer le lien entre l'information recueillie et les individus auxquels elle se rapporte. La confidentialité, quant à elle, fait référence au droit de chaque personne de contrôler la diffusion de l'information la concernant. La confidentialité en recherche correspond à une situation où le chercheur peut établir le lien, mais s'engage à ne pas le révéler. On ne peut pas toujours garantir l'anonymat des sujets pendant une recherche. Dans ce cas, le chercheur s'assurera que les données d'identification des sujets seront codées (donc rendues anonymes) aussitôt que possible par une équipe aussi peu nombreuse que possible. Par ailleurs, les données d'identifications devront être protégées contre le vol, la reproduction ou la diffusion accidentelle. Si la recherche nécessite que les données d'identification soient conservées à long terme, les sujets devront en être informés[21].

Les règles d'éthique ont une importance majeure dans la pratique scientifique contemporaine et chaque chercheur doit indiquer, lorsque la situation l'impose, quelles précautions ont été prises pour s'y conformer.

RÉSUMÉ

1. Comme complément au développement logique du projet de recherche, il faut préciser les conclusions anticipées de la recherche telles qu'elles nous apparaissent à la toute fin du projet. La recherche pourra valider ou invalider ces conclusions anticipées.

2. Il faut également faire état des limites et des difficultés éventuelles de la recherche, en évaluer l'impact sur le travail de vérification à venir et proposer, s'il y a lieu, des solutions de rechange.

3. Enfin, toute recherche qui a trait à des sujets humains devra faire état des précautions prévues pour garantir le respect des règles d'éthique.

Comment énoncer des conclusions anticipées

1. S'assurer d'avoir bien compris les exigences de la démarche de vérification de l'hypothèse.

2. Bien connaître la nature de l'information avec lesquelles il nous faudra travailler.

3. Rappeler les objectifs du projet de recherche et comparer les résultats attendus à ces objectifs. Il ne s'agit bien sûr pas de présumer des résultats qui seront effectivement obtenus, mais plutôt de montrer en quoi les résultats de la recherche qu'on projette de faire sont dans le prolongement et confirment ou au contraire infirment les résultats d'études antérieures.

---

21. Des informations complémentaires sur les règles éthiques de la recherche se trouvent dans l'ouvrage de Bouma, Ling et Wilkinson (2012) et dans le chapitre de Jean Crête (2016) cités à la fin de cette étape.

4. Souligner la pertinence des résultats et les retombées possibles de la recherche en indiquant les conséquences d'une éventuelle confirmation ou du rejet de l'hypothèse de recherche.

5. Souligner les principales difficultés envisagées quant à la collecte de l'information et au traitement des données tout en proposant des solutions pour que les difficultés anticipées n'empêchent pas la vérification éventuelle de l'hypothèse.

6. Faire état, le cas échéant, des précautions prévues pour garantir le respect des règles d'éthique.

LISTE DES OUVRAGES CITÉS

BOUMA, Gary D., Rod LING et Lori WILKINSON (2012), *The Research Process,* 2e édition canadienne, Don Mills, ON, Oxford University Press, p. 157-182.

BURNHAM, Peter, Karin GILLAND LUTZ, Wyn GRANT et Zig LAYTON-HENRY (2008), *Research Methods in Politics,* 2ᵉ édition, Basingstoke et New York, Palgrave Macmillan, p. 282-304.

CRÊTE, Jean (2016), « L'éthique en recherche sociale » dans Benoît Gauthier et Isabelle Bourgeois (sous la direction de), *Recherche sociale, de la problématique à la collecte des données,* 6ᵉ édition, Sillery, Presses de l'Université du Québec, p. 289-313.

Conclusion

À des fins pédagogiques, nous avons décortiqué le processus préparatoire à la recherche. Nous avons ainsi présenté les étapes l'une à la suite de l'autre et cette façon de procéder a pu laisser l'impression d'une évolution linéaire à l'intérieur du processus de recherche. S'il était nécessaire d'agir ainsi pour bien faire comprendre chaque étape du projet de recherche, il faut cependant avoir conscience que cela ne se passe pas de cette façon dans la réalité. L'activité de recherche fait en sorte que les étapes du processus se chevauchent. Ainsi, on commence d'abord par s'interroger sur un problème de recherche, un casse-tête à résoudre, ce qui nous amène à formuler une question de recherche et à énoncer une hypothèse. Les opérations à réaliser pour vérifier l'hypothèse (choisir la stratégie de vérification appropriée, déterminer les instruments de collecte de l'information et de traitement des données) nous amènent souvent à modifier la formulation du problème ou la structure du cadre opératoire. Ces modifications peuvent entraîner à leur tour des réaménagements de la stratégie de vérification ou du traitement des données conduisant à la formulation de nouvelles conclusions anticipées.

Toutefois, la connaissance scientifique ne peut pas progresser dans la confusion, sauf peut-être au moment des grandes ruptures épistémologiques qui permettent l'apparition de nouveaux paradigmes. Mais en temps normal la recherche scientifique doit être organisée et méthodique ; elle doit éviter l'à-peu-près et structurer son propos. Et l'instrument pour y parvenir, peut-être le meilleur, est le projet de recherche.

Le projet de recherche est beaucoup plus qu'un plan de travail, c'est un outil de construction logique du travail de recherche. C'est le moment de la recherche où l'on doit faire des choix et établir la séquence logique par l'entremise de laquelle on structure le lien entre les questions initiales de la recherche, le traitement empirique des données et les conclusions de cette recherche. C'est un schéma d'action qui indique comment franchir un certain nombre d'étapes pour aller du point de départ au point d'arrivée du processus de recherche. En ce sens, le projet est non seulement un outil organisateur du travail, mais aussi de la pensée relative à ce travail.

Le processus de recherche concernant un objet ou un phénomène donné n'est par ailleurs jamais complètement terminé même lorsqu'on présente son rapport de recherche. Nous ne connaîtrons jamais parfaitement la réalité parce que notre instrument de travail, le mode de connaissance scientifique, demeurera toujours, comme tous les autres instruments de ce type, un outil imparfait. Il ne faut pas s'en détourner pour autant, mais plutôt l'utiliser à l'intérieur de ses limites pour poursuivre cette quête infinie visant à réduire le plus possible, sans pouvoir l'éliminer complètement, l'écart entre la réalité et la connaissance que nous pouvons en avoir.

Plusieurs étudiants ont déjà eu l'occasion d'apprécier l'importance croissante du projet de recherche à mesure qu'ils progressaient dans leurs études universitaires. C'est un instrument dont le rôle est déjà perceptible lorsque vient le moment d'entreprendre un travail long. Mais son impact majeur se fait encore plus sentir au moment de la structuration du mémoire de maîtrise et de la thèse de doctorat. À ce niveau, c'est souvent ce qui fait la différence entre un travail réussi et un travail raté ou seulement passable. Ce qui, naturellement, n'est pas sans conséquence sur le plan du marché du travail dans la mesure où la façon dont nous avons appris à travailler influe directement sur l'accès à ce marché ainsi que sur la progression d'un individu dans un corps d'emploi donné.

Le projet de recherche n'est pas un exercice que l'on réalise rapidement et sans effort. Il faut y mettre le temps, faire preuve de détermination et ne pas craindre de recommencer certaines parties qui ne nous semblent pas satisfaisantes au premier abord. Nous sommes convaincus cependant que l'effort en vaut la peine.

ILLUSTRATION N° 1

Régionalisme et convergence de politique étrangère

Cette illustration s'inspire d'une étude menée par une équipe de recherche du Centre d'études interaméricaines de l'Université Laval[1]. Les résultats de cette recherche ont été publiés dans : Gordon Mace (dir.) (2007), *Regionalism and the State. NAFTA and Foreign Policy Convergence*, Aldershot/Burlington, Ashgate.

CHOIX DU SUJET

L'étude du lien entre le régionalisme et la politique étrangère est d'un grand intérêt pour deux raisons principalement. Sur le plan pratique, tout d'abord, l'après-guerre froide a été une période de consolidation ou de réémergence des grands ensembles comme la mondialisation et le régionalisme. Ces phénomènes suscitent encore aujourd'hui de vives inquiétudes quant à leur impact sur la vie des communautés nationales et locales. Bien qu'il soit difficile d'isoler l'influence précise des grands courants mondiaux sur la formation des politiques nationales, plusieurs considèrent que les gouvernements sont de plus en plus contraints par des institutions régionales et internationales dont les normes, de plus en plus nombreuses, limitent leur marge de manœuvre, y compris dans le domaine de la politique étrangère. Analyser si cette influence existe et comment elle se manifeste a une importance pratique non négligeable.

---

1. La présentation de l'illustration est extrêmement schématique et ne rend pas compte de la richesse de l'étude réalisée. Cela s'explique par l'obligation de ne pas alourdir indûment le texte de façon à centrer l'attention sur les éléments de méthode.

Sur le plan théorique ensuite, les approches traditionnelles pour l'analyse du régionalisme ont habituellement cherché à déterminer comment celui-ci était influencé par des facteurs tels que le comportement des États-membres ou encore l'action de groupes d'intérêts nationaux ou régionaux. La relation analytique inverse a très rarement fait l'objet de recherches approfondies. Avec le « tournant » constructiviste, toutefois, et l'intérêt récent porté à l'incidence des normes internationales, il y a tout lieu de se questionner sur l'incidence du régionalisme sur le comportement des États-membres et en particulier sur la formulation de leurs politiques nationales.

La grande originalité de cette recherche consiste donc à inverser la relation analytique traditionnelle afin d'examiner comment le régionalisme influence les politiques nationales des États participants, la politique étrangère principalement, dans le sens d'une plus grande convergence. Le cas retenu pour étude est l'Accord de libre-échange nord-américain (ALENA) et son influence possible sur les politiques étrangères du Canada, des États-Unis et du Mexique pour la période 1995-2005.

LE PROBLÈME DE RECHERCHE[2]

L'émergence du programme de recherche constructiviste dans les années 1990 (Checkel, 1998 ; Kubalcova, Onuf et Kowert, 1998 ; Wendt, 1995) a attiré l'attention des chercheurs sur la nécessité d'étudier à la fois l'action des agents sur les structures mais aussi l'influence des structures sur les agents eux-mêmes. Sauf pour quelques travaux sur l'intégration européenne (Jorgensen, 1997), cette approche a toutefois été absente des études traditionnelles sur le régionalisme, concentrées jusque-là sur l'explication de l'influence des États-membres sur le fonctionnement des processus d'intégration. C'est le cas des premières approches théoriques pour l'étude de l'intégration régionale

---

2. Comme il est mentionné dans le *Guide,* nous pouvons passer outre à la sous-étape du problème général de recherche si nous avons déjà une bonne connaissance du sujet traité. C'est ce qui se produit pour cette illustration étant donné que les chercheurs en cause travaillaient sur le sujet du régionalisme depuis plusieurs années. Ils avaient donc une connaissance approfondie du sujet ce qui leur a permis d'aborder directement la sous-étape du problème spécifique de recherche.

(Haas, 1958; Deutsch, 1957; Lindberg, 1963) mais aussi pour les travaux plus récents sur le régionalisme.

Les analyses contemporaines du régionalisme ont suivi deux pistes théoriques assez différentes. Les chercheurs associés au premier courant se concentrent sur le développement de concepts et de théories spécifiques du régionalisme. Les travaux relatifs au « nouveau régionalisme », par exemple, cherchent à comprendre le régionalisme à travers sa relation avec le concept de mondialisation (Mittelman, 1996; Marchand, Boas et Shaw, 1999). Sur le plan théorique, certains de ces chercheurs construisent des modèles généraux pour tenter d'expliquer la dynamique du régionalisme par l'entremise de mégavariables comme le système mondial, les relations entre régions ou encore la structure interne propre à une région donnée (Hettne, 2000, p. 7-8) ou alors avec des variables comme les idées, les institutions, les systèmes de production, les relations de pouvoir, etc. (Mittelman, 1996, p. 196-206). D'autres proposent de s'éloigner du modèle européen pour expliquer plutôt le régionalisme par des concepts liés à des programmes de recherche plus larges tels que les théories systémiques, l'interdépendance ou les théories sur les régimes et les systèmes politiques (Hurrell, 1995, p. 46-70).

Le deuxième courant est celui de chercheurs qui analysent le régionalisme, en particulier l'intégration européenne, à partir des programmes de recherche dominants comme le rationalisme ou le constructivisme (Pollack, 2000). Le rationalisme comprend trois sous-programmes. L'approche néoréaliste tente d'expliquer le régionalisme au moyen de l'analyse du comportement des États en isolant des facteurs tels que la distribution des gains (Grieco, 1995, 1996), les alliances politiques (Gowa, 1994) et le rôle de l'hégémonie (Krasner, 1976). L'approche de l'intergouvernementalisme privilégie pour sa part une explication centrée sur l'articulation entre les préférences nationales et la négociation intergouvernementale concernant ces différentes préférences (Moravcsik, 1998). Enfin, les tenants du choix rationnel tentent d'expliquer la dynamique du régionalisme ou de l'intégration à partir de modèles centrés sur la formation de l'agenda et la prise de décisions (Tsebelis et Garrett, 1997).

L'alternative au rationalisme vient du programme de recherche constructiviste qui postule que les institutions internationales (organisations, règles, normes, etc.) façonnent non seulement la conduite des acteurs mais aussi leurs préférences et leur identités (Jorgensen, 1997 ; Risse, 1996). Si l'on considère que le régionalisme est une institution internationale, on pourrait alors dire que le programme de recherche constructiviste constitue une option intéressante pour étudier l'influence du régionalisme sur le comportement de ses États-membres (la relation analytique que nous désirons étudier). Malheureusement, l'approche constructiviste s'est peu intéressée au phénomène du régionalisme. Par ailleurs, on lui reproche des faiblesses méthodologiques comme l'absence d'hypothèses vérifiables ou alors l'absence de cadres d'analyses qui permettent de tenir compte d'hypothèses rivales (Moravcsik, 1999)

Si l'approche constructiviste a pu inspirer certains travaux sur l'intégration européenne, il n'en est pas de même pour l'étude du régionalisme dans d'autres contextes géographiques, par exemple, celui de l'Amérique du Nord avec l'ALENA sur lequel porte cette recherche. On a en effet principalement étudié l'ALENA sous trois angles : les motivations des gouvernements impliqués au moment de la négociation de l'accord (Mayer, 1998) ; les impacts anticipés de l'ALENA (Grinspun et Cameron, 1993) et, enfin, l'étude de quelques résultats préliminaires (Roberts et Wilson, 1996). Les quelques évaluations de l'influence de l'ALENA sur la politique étrangère des États-membres sont peu systématiques (Davilla-Villers, 1998) ou alors ne concernent qu'un seul pays ou un seul secteur d'activité (Rochlin, 1997, Conklin, 1997).

La principale lacune de recherche eu égard à notre objet d'étude est donc l'absence d'analyses comparatives systématiques sur l'influence que pourrait avoir le régionalisme sur la formulation des politiques des États-membres, en particulier leur politique étrangère. La question de recherche est donc de savoir si le régionalisme influence le comportement des États membres. Plus précisément, est-ce que le niveau et la forme d'intégration ont un effet sur la convergence des politiques ?

HYPOTHÈSE ET CADRE OPÉRATOIRE

Selon l'hypothèse formulée en réponse à la question de recherche, la convergence des politiques des États-membres d'un processus d'intégration serait fonction du niveau d'intégration[3].

L'hypothèse nulle est que le niveau d'intégration n'a aucun impact sur la convergence des politiques des États-membres. Notre hypothèse comprend deux concepts centraux, la convergence des politiques et le niveau d'intégration, qu'il convient maintenant d'opérationnaliser pour rendre l'analyse possible.

Le constructivisme n'offre pas vraiment de pistes de recherche précises pour analyser l'interaction agent-structure. Certaines études ont permis d'affiner l'analyse du cycle de vie des normes (Finnemore et Sikkink, 1998, p. 887-917; Florini, 1996, p. 363-389) ou encore la relation agent-structure en analyse de politique étrangère (Carlsnaes, 1992), mais elles ne fournissent pas d'éléments pour l'étude de l'influence du régionalisme sur le comportement de l'acteur gouvernemental.

Pour ce faire, on doit se tourner vers les études de politiques publiques et, en particulier, vers le concept de convergence qui, comme le souligne Bennett (1991, p. 215), a pris de l'importance avec la mondialisation et le retour en force du régionalisme. Le concept de convergence découle du postulat que la mondialisation entraîne une harmonisation des politiques nationales. Nous appliquons le même raisonnement au régionalisme comme l'ont déjà fait certains auteurs à propos de l'ALENA (McDougall, 2000, p. 287-289; Gabriel, Jimenez et Macdonald, 2003).

Le concept de convergence n'est pas exempt de problèmes conceptuels et méthodologiques (Bennett, 1991, p. 215; Seeliger, 1996, p. 287), mais nous l'utilisons comme concept opératoire parce qu'il offre tout de même des éléments de précision intéressants eu égard à notre objet d'étude. À la suite de Bennett (1991), Hay (2000) et Seeliger (1996), nous opérationnalisons le concept de *convergence des politiques* à l'aide de *trois variables dépendantes*: les objectifs, le contenu et les instruments.

---

3. Pour faciliter la compréhension des opérations qui suivent, la formulation de l'hypothèse a volontairement été ramenée à sa plus simple expression sans ajout d'une hypothèse rivale.

Les objectifs sont les buts visés par une politique donnée. L'indicateur ici est le nombre d'objectifs similaires dans la politique de chaque État membre à l'égard d'un même thème. Un nombre élevé d'objectifs similaires au cours d'une période de temps donnée indique un haut degré de convergence. Le contenu fait référence aux éléments ou aux sous-thèmes d'une politique donnée et l'indicateur retenu est le nombre de sous-thèmes similaires. Un nombre élevé indique un haut degré de convergence. Les instruments sont les outils qu'un gouvernement mobilise pour la réussite de ses politiques. Dans le cadre de cette étude, les instruments sont essentiellement économiques et diplomatiques. L'indicateur est le nombre d'instruments similaires utilisés par les gouvernements, un nombre élevé traduisant une convergence.

Le niveau d'intégration d'une structure régionale est défini dans cette recherche comme le *degré de légalisation* du processus. Cette façon de procéder est conforme à la littérature (Downs, Rocke et Barsoom, 1996) et s'appuie sur le postulat qu'une forte légalisation d'un processus d'intégration produit généralement un effet de convergence des politiques des États membres. Nous opérationnalisons le concept degré de légalisation à l'aide de *trois variables indépendantes* que sont l'obligation, la précision et la délégation.

Conformément au cadre d'analyse développé par Abbott et al. (2000), l'indicateur retenu pour évaluer l'obligation est le degré de contrainte légale qu'une norme impose aux États membres. Plus la contrainte légale est forte, plus il y a d'obligation pour l'État membre et plus le niveau d'intégration est élevé. Le niveau de précision, pour sa part, est évalué à l'aide de l'indicateur degré de clarté des règles qui prescrivent ou proscrivent un comportement. Plus les règles sont claires, plus il y a précision et plus le niveau d'intégration est élevé. Enfin, on évalue la délégation à l'aide de l'indicateur degré d'autorité conféré à une tierce partie. Un degré élevé signifie une forte délégation qui, elle-même, traduit un niveau élevé d'intégration.

La dynamique du cadre opératoire suppose que l'hypothèse sera confirmée si la valeur de chaque indicateur est considérée comme élevée ou très élevée. En revanche, elle sera infirmée si la valeur des indicateurs d'obligation et de précision est faible et si la valeur des indicateurs de contenu et d'instruments est faible.

STRATÉGIE DE VÉRIFICATION

Nous privilégions pour cette recherche *l'étude comparative longitudinale*. Ce design apparaît le plus approprié dans la mesure où il s'agit de vérifier si la mise en place de normes ou l'ajout de normes, sur une période de dix ans, a pu avoir un effet sur la convergence de politiques des trois pays membres de l'ALENA. Le choix de l'ALENA est intéressant dans la mesure où, à la différence de l'Union européenne par exemple, l'évolution du processus d'intégration ne repose pas sur la présence d'institutions régionales fortes mais plutôt sur la force des normes. Les conclusions de la recherche seront d'autant plus solides si elle aboutit à un constat de convergence et que la convergence résulte de l'action de l'ALENA.

Nous privilégions aussi le *design comparatif le plus différent* puisque les cas retenus pour l'analyse de la convergence sont différents à plusieurs égards bien que la variable indépendante, les normes de l'ALENA, soit la même pour chaque État membre. En choisissant en effet un cas de commerce, les politiques commerciales des pays membres, un cas de sécurité, la protection des frontières, et un cas de politique étrangère, les relations avec Cuba, nous optons pour des sujets qui ont un rapport étroit, moyen et éloigné avec la thématique de l'ALENA. Nous anticipons donc des variations dans la variable dépendante.

La période retenue couvre les années 1995 à 2005. L'année de départ se justifie par le fait que l'ALENA est entrée en fonction en décembre 1994. La dernière année couverte permet d'avoir au total une période de dix ans qui semble suffisante pour une étude valable de la convergence des politiques et des normes de l'ALENA.

La validité interne du devis de recherche apparaît forte dans la mesure où les théories sur lesquelles on s'appuie ont fait l'objet de plusieurs vérifications. La validité externe apparaît toutefois faible puisque le processus d'intégration retenu est très différent de ceux que l'on trouve ailleurs dans le monde étant donné la quasi-inexistence de ces institutions centrales. D'où la difficulté de généraliser les conclusions de la recherche.

COLLECTE DE L'INFORMATION ET TRAITEMENT DES DONNÉES

Cette recherche privilégie l'observation documentaire sans faire appel à d'autres méthodes de collecte de l'information. Cela s'explique à la fois par la nature du projet et par la richesse de la documentation disponible. Il aurait été possible d'utiliser aussi la méthode de l'entretien semi-directif mais nous avons dû y renoncer pour différentes raisons.

L'information pour l'étude des variables dépendantes est composée d'énoncés de politiques, de statistiques descriptives et de comptes rendus d'activités gouvernementales. Cette information est puisée principalement dans les documents gouvernementaux comme les discours et déclarations des représentants officiels des trois pays ainsi que dans les rapports des ministères et les sources statistiques. Nous ferons aussi appel à la littérature spécialisée sur les cas retenus et, de façon complémentaire, aux journaux. L'information pour l'étude des variables indépendantes est de nature factuelle et on la trouve dans les textes juridiques comme le Traité constitutif et les documents légaux connexes ainsi que dans la littérature secondaire qui présente des analyses de ces textes.

Le traitement des données suppose deux opérations. Nous procédons d'abord à la classification de l'information. Pour les variables dépendantes, nous utilisons d'abord les discours des principaux responsables politiques et autres documents gouvernementaux pour isoler les objectifs de chaque gouvernement pour chaque cas retenu. Nous procédons de la même façon pour identifier les domaines d'action privilégiés par chaque gouvernement. Nous utilisons enfin les documents gouvernementaux, les sources statistiques et les analyses secondaires pour évaluer les instruments utilisés par chaque gouvernement pour atteindre ses objectifs. En ce qui concerne les variables indépendantes, nous travaillons principalement à partir du traité de l'ALENA et des documents juridiques connexes pour isoler les principales règles et en évaluer la clarté et la portée des contraintes. Nous voulons aussi savoir quel type d'autorité a été conféré à d'autres structures comme les panels d'experts, etc.

L'analyse proprement dite des données utilisera la méthode de reconstitution de processus (*process-tracing*) qui fait reposer l'association entre les variables sur des inférences logiques découlant de l'observation des données et en conformité avec les anticipations de l'approche de la convergence. Nous jugeons cette méthode préférable à d'autres étant donné le design de recherche et la nature de l'information pertinente au sujet. La logique de la démonstration oblige d'abord à constater la convergence ou l'absence de convergence des orientations des trois gouvernements pour chacun des cas retenus. Il faut ensuite relier les constats relativement à la convergence aux normes pertinentes de l'ALENA afin de déterminer la nature du lien possible entre variables dépendantes et variables indépendantes. Le lien analytique anticipé est un lien de corrélation davantage que de causalité étant donné la difficulté d'établir un constat solide concernant l'impact d'une norme régionale sur des cas aussi complexes que ceux étudiés.

CONCLUSIONS ANTICIPÉES

Le résultat attendu de cette recherche est la confirmation de l'hypothèse dans le cas de la convergence des politiques commerciales et l'infirmation de l'hypothèse dans le cas de la convergence des politiques de sécurité du territoire et des relations avec Cuba. La principale justification de l'énoncé de cette conclusion préliminaire tient au rapport de proximité de chacun des cas avec la nature des normes de l'ALENA. Nous supposons en effet que le degré de convergence sera d'autant plus fort que sera important l'aspect économique du cas étudié.

Les considérations éthiques n'entrent pas en considération dans cette recherche qui ne fait pas appel à des sujets humains. Les chercheurs associés à la recherche demeurent cependant soumis aux critères de vérité et d'intégrité.

LISTE DES OUVRAGES CITÉS

ABBOTT, Kenneth W., Robert O. KEOHANE, Andrew MORAVCSIK, Anne-Marie SLAUGHTER et Duncan SNIDAL (2000), « The Concept of Legalization », *International Organization,* 54, 3, p. 401-419.

BENNETT, Colin J. (1991), « Review Article; What is Policy Convergence and What Causes It? », *British Journal of Political Science,* 21, 2, p. 215-233.

CARLSNAES, Walter (1992), « The agency-structure problem in foreign policy analysis », *International Studies Quarterly,* 36, p. 245-270.

CHECKEL, Jeffrey (1998), « The Constructivist Turn in International Relations Theory », *World Politics,* 50, p. 324-348.

CONKLIN, David W. (1997), « NAFTA : Regional Impacts », dans Michael Keating et James Loughlin (dir.), *The Political Economy of Regionalism,* Londres et Florence, Frank Cass/Robert Schuman Centre, European University Institute, p. 195-214.

DAVILLA-VILLERS, David R. (1998), *NAFTA on Second Thoughts. A Plural Evaluation,* Lanham, University Press of America.

DEUTSCH, Karl W. et al. (1957), *Political Community and the North Atlantic Area,* Princeton, Princeton University Press.

DOWNS, George W., David M. ROCHE et Peter N. BARSOOM (1996), « Is the Good News About Compliance Good News About Cooperation ? », *International Organization,* 50, 3, p. 379-406.

FINNEMORE, Martha et Kathryn SIKKINK (1998), « International Norms Dynamics and Political Change », *International Organization,* 52, p. 887-917.

GABRIEL, Christina, Jimena JIMENEZ et Laura MACDONALD (2003), « The Politics of the North American Security Perimeter : Convergence or Divergence in Border Control Policies », Congrès annuel d'International Studies Association, Portland, Oregon, 26 février-1er mars.

FLORINI, Ann (1996), « The Evolution of International Norms », *International Studies Quarterly,* 40, p. 363-389.

GOWA, Joanne (1994), *Allies, Adversaries and International Trade,* Princeton, Princeton University Press.

GRIECO, Joseph M. (1990), *Cooperation Among Nations. Europe, America and Non-tariff Barriers to Trade,* Ithaca, Cornell University Press.

GRINSPUN, Ricardo et Maxwell A. CAMERON (dir.) (1993), *The Political Economy of North American Free Trade,* New York, St. Martin's Press.

HAAS, Ernst B. (1958), *The Uniting of Europe,* Stanford, Stanford University Press.

HAY, Colin (2000), « Contemporary Capitalism, Globalization, Regionalization and the Persistence of National Variation », *Review of International Studies,* 26, p. 509-531.

HETTNE, Bjorn (2000), « The New Regionalism », XVIIIe Congrès mondial de l'IPSA, Québec, 1er-5 août.

HURRELL, Andrew (1995), « Regionalism in Theoretical Perspective », dans Louise Fawcett et Andrew Hurrell (dir.), *Regionalism in World Politics,* Oxford, Oxford University Press, p. 37-73.

JORGENSEN, Knud Erik (dir.) (1997), *Reflective Approaches to European Governance,* New York, St. Martin's Press.

KRASNER, Stephen D. (1996), « State Power and the Structure of International Trade », *World Politics,* 28, 3, p. 317-347.

KUBALKOVA, Vendulka, Nicholas ONUF et Paul KOWERT, (dir.) (1998), *International Relations in a Constructed World*, Armonk, NY, M. E. Sharpe.

LINDBERG, Leon N. (1963), *The Political Dynamics of European Economic Integration*, Stanford, Stanford University Press.

MARCHAND, Marianne H., Morten BOAS et Timothy M. SHAW (1999), « The political economy of new regionalisms », *Third World Quarterly*, 20, 5, p. 897-909.

MAYER, Frederick W. (1998), *Interpreting NAFTA, the Science and Art of Political Analysis*, New York, Columbia University Press.

McDOUGALL, John N. (2000), « National Differences and the NAFTA », *International Journal*, 55, 2, p. 281-291.

MITTELMAN, James H (1996), « Rethinking the « New Regionalism » in the Context of Globalization », *Global Governance*, 2, 2, p. 189-213.

MORAVCSIK, Andrew (1998), *The Choice for Europe*, Ithaca, Cornell University Press.

MORAVCSIK, Andrew (1999), « Is Something Rotten in the State of Denmark ? Constructivism and European Integration », *Journal of European Public Policy*, 6 , p. 669-681.

POLLACK, Mark A. (2000), « International Relations Theory and European Integration », XVIIIe Congrès mondial de l'IPSA, Québec, 1er-5 août.

ROBERTS, Karen et Mark I. WILSON (dir.) (1996), *Policy Choices. Free Trade among NAFTA Nations*, East Lansing, Michigan State University Press/ Institute for Public Policy and Social Research.

ROCHLIN, James F. (1997), *Redefining Mexican « Security ». Society, State and Region Under NAFTA*, Boulder, Lynne Rienner Publishers.

SEELIGER, Robert (1996), « Conceptualizing and Researching Policy Convergence », *Policy Studies Journal*, 24, 2, p. 287-310.

TSEBELIS, George et Geoffrey GARRETT (1997), « Agenda Setting, Vetoes and the European Union's Co-Decision Procedure », *Journal of Legislative Studies*, 3, p. 74-92.

La réceptivité des dirigeants politiques à l'opinion publique

C ette illustration est un projet de réplication de François Pétry et Matthew Mendelsohn (2004) « Public Opinion and Policy-Making in Canada : 1994-2001 », *Revue canadienne de science politique/Canadian Journal of Political Science* 37, 2004, p. 505-529.

CHOIX DU SUJET

IMPORTANCE DU SUJET

On critique souvent le fait que les dirigeants gouvernementaux ignorent l'opinion publique quand ils prennent leurs décisions. Le manque de réceptivité des dirigeants à l'opinion serait en partie responsable de la perte de légitimité des institutions politiques et de l'affaiblissement de la confiance de la population envers ses dirigeants. Paradoxalement, on observe que les sondages d'opinion scrutent toujours de plus près les décisions gouvernementales. La surveillance accrue des dirigeants par les sondages ne devrait-elle pas augmenter leur réceptivité à l'opinion ?

PERTINENCE SCIENTIFIQUE DU SUJET ET UTILISATEURS POTENTIELS

La réceptivité des décideurs politiques aux sondages d'opinion intéresse les chercheurs dans plusieurs domaines distincts de la science politique. La question soulève des débats parmi les spécialistes de l'opinion publique, des politiques publiques et de la communication politique. La recherche proposée, en établissant un pont entre ces domaines de recherche, devrait contribuer à apporter un éclairage nouveau sur certains de ces débats.

Les résultats de cette recherche s'ajouteront à ceux des autres chercheurs et fourniront des données originales et utiles aux intervenants (instituts de sondage, médias, décideurs politiques) qui s'intéressent au rôle de l'opinion publique dans la vie politique.

PROBLÈME DE RECHERCHE

APPROCHES THÉORIQUES

George Gallup (1940), l'«inventeur» du sondage scientifique, prédisait que son invention amènerait les dirigeants politiques à être en tout temps réceptifs aux préférences des citoyens. Sous son apparence démocratique, la conception du «gouvernement par les sondages» qu'incarne George Gallup pose toutefois problème. Sachant que les sondages ne donnent pas toujours l'heure juste sur les choix politiques socialement désirables, la prédiction de George Gallup, si elle se réalisait, indiquerait un manque de leadership flagrant des dirigeants sans compter qu'elle risquerait d'entraîner parfois de mauvaises décisions de leur part. La question vaut donc la peine d'être posée: «Est-ce que les gouvernements sont réceptifs en tout temps à la direction de l'opinion publique comme le veut la thèse du «gouvernement par les sondages»?

Le sociologue Pierre Bourdieu (1972) a proposé une conception assez divergente des sondages et de l'opinion publique. Les dirigeants sont sans doute réceptifs aux résultats de sondages; mais cette réceptivité est plus apparente que réelle car les résultats de sondages reflètent plus les préférences des élites dirigeantes que celles des masses populaires. Loin d'augmenter la réceptivité des dirigeants à l'opinion, les sondages les aideraient au contraire à la «manipuler» tout en maintenant l'illusion que le peuple est aux commandes. Le politologue américain Benjamin Ginsberg (1986) a articulé un argument similaire. Aussi attirante soit-elle, la thèse de l'opinion publique manipulée est difficile à vérifier. Ni Bourdieu ni Ginsberg ne l'ont véritablement testée à l'épreuve des faits empiriques.

L'évidence empirique semble appuyer une troisième conception selon laquelle les dirigeants sont réceptifs à l'opinion publique exprimée par les sondages dans la mesure où l'opinion est elle-même réceptive aux décisions des dirigeants. La théorie de la réceptivité réciproque est simple à comprendre. Si l'opinion publique n'est pas réceptive, si par ignorance ou passivité elle ne réagit pas aux décisions gouvernementales, les décideurs n'ont pas d'incitation à être réceptifs à l'opinion. À l'inverse, une opinion informée et réceptive constitue un sérieux incitatif pour les dirigeants à être eux-mêmes réceptifs à l'opinion.

La thèse de la réceptivité réciproque a été affirmée de manière convaincante par Benjamin Page et Robert Shapiro (1992), et plusieurs autres chercheurs ont apporté des éléments additionnels à l'appui de l'argument selon lequel l'opinion publique et les politiques gouvernementales sont liées par une relation de réceptivité réciproque. Ainsi, selon le modèle de «la zone de consentement» de James Stimson (1991) les citoyens appuient la plupart du temps les initiatives du gouvernement parfois plus par indifférence qu'autre chose. Exceptionnellement, ils sortent de leur indifférence, et s'impliquent activement pour s'opposer aux décisions gouvernementales qui s'éloignent trop de la zone de ce qui est acceptable à leurs yeux.

Stuart Soroka et Christopher Wlezien (2004) utilisent la métaphore du thermostat pour illustrer leur conception de la relation réciproque entre opinion et politiques. À l'instar d'un thermostat équilibrant la température intérieure par rapports aux variations de la température extérieure, les politiques publiques et l'opinion publique interagissent de manière à s'équilibrer mutuellement.

Pour sa part, John Geer (1996) affirme que les sondages d'opinion permettent aux dirigeants de mesurer l'intensité des préférences du public afin de régler avec précision l'équilibre entre les impératifs de leadership et de réceptivité à l'opinion publique. Sur les enjeux où l'intensité des préférences du public est faible, les dirigeants gouvernementaux exercent leur leadership en menant les politiques qu'ils jugent préférables, même si elles vont en sens contraire de l'opinion majoritaire. Sur les enjeux où l'intensité des préférences du public est forte, les dirigeants tiennent plus compte de l'opinion publique.

LACUNE DE RECHERCHE

Une lecture attentive des résultats de recherches menées surtout aux États-Unis nous a permis de découvrir que la relation entre l'opinion publique et les politiques gouvernementales est une relation réciproque dans laquelle les dirigeants réagissent à l'opinion publique autant que l'opinion publique réagit aux dirigeants. La relation entre opinion et les politiques n'a pas été abordée au Canada dans les années récentes. La question se pose donc de savoir si les conclusions des recherches antérieures s'appliquent au gouvernement conservateur de Stephen Harper.

QUESTION SPÉCIFIQUE

Est-ce que le gouvernement de Stephen Harper a été réceptif à l'opinion publique ? Quels facteurs expliquent la variation dans la réceptivité du gouvernement Harper ?

HYPOTHÈSE ET CADRE OPÉRATOIRE

Notre question de recherche s'organise autour des concepts théoriques d'opinion publique, de décisions gouvernementales, et de la réceptivité des décideurs gouvernementaux. Pour mieux définir ces concepts théoriques, nous allons leur donner un contenu opératoire.

DÉFINITIONS OPÉRATOIRES DES CONCEPTS

Pour donner un contenu opératoire au concept d'opinion publique, nous allons raisonner en termes de direction majoritaire de l'opinion définie comme la réponse majoritaire à une question de sondage portant sur une politique donnée. Par exemple, le gouvernement doit-il augmenter le nombre de réfugiés accueillis chaque année au Canada ? La réponse majoritaire de l'opinion peut être soit favorable à un changement de politique (augmenter le nombre de réfugiés) soit favorable au *statu quo* (ne pas l'augmenter). Supposons dans notre exemple que la majorité de l'opinion s'oppose à une augmentation du nombre de réfugiés. Nous dirons alors que la direction de l'opinion va dans le sens du *statu quo*.

Nous définirons la politique gouvernementale en termes de décision finale. La direction de la décision est définie de la même façon que la direction majoritaire de l'opinion. La politique du gouvernement peut donc aller soit dans le sens du changement (augmenter le nombre de réfugiés) soit dans le sens du *statu quo* (ne pas l'augmenter).

Les dirigeants sont réceptifs si leurs décisions sont en accord avec (vont dans la même direction que) l'opinion. Par contre, ils ne sont pas réceptifs si leur décision va dans le sens opposé à l'opinion, comme par exemple si le gouvernement décide d'augmenter le nombre de réfugiés alors que la majorité de l'opinion souhaite ne pas l'augmenter.

HYPOTHÈSE

En réponse à notre question spécifique de recherche et sur la base de la théorie de la réceptivité réciproque entre opinion et politiques, et plus particulièrement, l'argument de John Geer (1996), nous formulons l'hypothèse selon laquelle l'accord entre les décisions gouvernementales et les résultats de sondages est d'autant plus probable que les résultats de sondages reflètent une opinion publique de forte intensité.

UNITÉS D'ANALYSE ET VARIABLES

Les unités d'analyse correspondent à chaque question de politique ayant fait l'objet d'un sondage par une maison de sondage connue. Nous allons maintenant donner des attributs et des niveaux de mesure précis à chacun de nos concepts opératoires pour en faire des variables.

La variable dépendante est la direction (changement ou *statu quo*) de la décision gouvernementale sur chaque question à l'étude. C'est donc une variable nominale binaire. Les questions sur lesquelles il n'y a pas de décision gouvernementale sont classées dans la catégorie du *statu quo*. Comme notre projet est une réplication, nous ne cherchons pas à réinventer la roue; nous choisissons la même variable dépendante que les chercheurs qui ont étudié la réceptivité des dirigeants avant nous (Page et Shapiro 1983; Monroe 1998).

Notre première variable indépendante est la direction (changement ou *statu quo*) de l'opinion majoritaire sur chaque question prenant la valeur = 1 lorsque l'opinion majoritaire est en faveur du changement et 0 lorsque l'opinion majoritaire est en faveur du *statu quo*. Dans chaque cas, la date du sondage devra précéder chronologiquement la date de la décision d'au moins trois mois. Il est également nécessaire d'établir un seuil de signification de la direction majoritaire de l'opinion pour tenir compte de la marge d'erreur d'échantillonnage dans les sondages. Nous fixerons cette marge d'erreur à six pour cent; ce qui veut dire que les cas où la différence de pourcentages entre opinion majoritaire et opinion minoritaire est inférieure à six pour cent seront reportés comme ambivalents (pas de direction majoritaire).

Notre deuxième variable indépendante est l'intensité de l'opinion publique, une variable numérique = le pourcentage d'opinions exprimées en faveur de l'opinion majoritaire dont on soustrait le pourcentage d'opinions exprimées en faveur de l'opinion minoritaire et le pourcentage d'indécis et de non-réponses. Cette variable mesure l'étendue du consensus dans l'opinion publique. Plus la valeur est positive, plus l'opinion est intense et plus les décideurs seront incités à être réceptifs à l'opinion publique. À l'inverse, plus la valeur est négative, moins l'intensité de l'opinion est forte et moins les décideurs auront l'incitation d'être réceptifs.

Nous ajoutons au devis trois variables de contrôle destinées à vérifier si la réceptivité des dirigeants ne dépend pas de la nature des enjeux politiques. Selon Stuart Soroka (2002), la réceptivité des dirigeants varie selon qu'un enjeu est classé comme proéminent, sensationnel ou gouvernemental. Les enjeux «proéminents» sont des enjeux concrets qui touchent directement un grand nombre de citoyens. Les soins de santé en sont une illustration. Les enjeux «sensationnels» sont des enjeux concrets qui touchent beaucoup d'individus, mais plutôt indirectement. Les épidémies ou les questions touchant à l'immigration en sont une illustration. Les enjeux «gouvernementaux» ont, quant à eux, peu d'incidences observables sur la population. Ils sont importants aux yeux des décideurs, mais ne suscitent pas beaucoup d'intérêt dans l'opinion publique. Les problèmes de la dette et de déficit budgétaire en sont une illustration. Suivant l'interprétation de Soroka, nous faisons l'hypothèse que les dirigeants sont plus enclins à être réceptifs à l'opinion publique sur les enjeux proéminents et les enjeux sensationnels que sur les enjeux gouvernementaux.

TABLEAU ANALYTIQUE DES VARIABLES ET DES INDICATEURS

VARIABLE	ATTRIBUT	NIVEAU DE MESURE	INDICATEUR
Variable dépendante			
Direction de la décision du gouvernement sur chaque enjeu	Statu quo/ changement	nominal	0= *statu quo* 1= changement 9= incertain
Variables indépendantes			
Direction majoritaire de l'opinion sur l'enjeu	*Statu quo /* changement	nominal	0= *statu quo* 1= changement 9= incertain (lorsque le seuil critique se situe à l'intérieur de la marge d'erreur)
Intensité de la majorité dans l'opinion	Valeur numérique	ratio	% de réponses majoritaires dont on soustrait les réponses minoritaires et les indécis + les non-réponses
Variables de contrôle :			
Enjeux «proéminents» ou «sensationnels»	Oui/non	binaire	1 = Enjeux «proéminents» ou «sensationnels» sinon 0
Enjeux «gouvernementaux»	Oui/non	binaire	1 = Enjeux «gouvernementaux» sinon 0

STRATÉGIE DE VÉRIFICATION

Nous allons choisir une stratégie de vérification corrélationnelle portant sur un grand nombre d'observations (cent ou plus). Une telle stratégie est tout à fait indiquée étant donné le grand nombre de données disponibles. L'avantage est que nous pourrons généraliser nos résultats de recherche sans trop risquer de nous tromper.

Le principal désavantage est que la stratégie de vérification choisie ne nous permet pas de déterminer la direction de la causalité dans la relation entre l'opinion et les politiques gouvernementales. Un tel désavantage peut être surmonté en choisissant un devis de recherche synthétique par étude de cas par exemple. Contrairement au test corrélationnel portant sur un grand nombre d'observations, un devis par étude de cas reposerait sur peu d'observations ; en revanche, il nous permettrait de couvrir le terrain en profondeur par l'analyse d'un grand nombre de variables, et en particulier, les variables causales qui font défaut dans le devis corrélationnel.

COLLECTE DE L'INFORMATION

Nous utiliserons l'observation documentaire pour collecter l'information sur les décisions gouvernementales. Les données de décisions gouvernementales incluent les lois votées par le Parlement et les décisions réglementaires et budgétaires disponibles dans les archives et répertoires de la 41e législature de la Chambre des communes (Débats). Les médias écrits seront également consultés au besoin pour valider ces informations. Nous utiliserons les serveurs à cet effet, les serveurs en ligne *Eureka* pour les médias francophones et *Factiva* pour les médias anglophones.

La collecte des données d'opinion publique se fera par observation documentaire, en consultant les résultats de sondages politiques administrés périodiquement à des échantillons représentatifs de la population canadienne par Gallup Canada, Ipsos Reid, Léger marketing et d'autres maisons de sondage. Ces résultats de sondages sont archivés par l'Initiative ontarienne en matière de documentation des données (ODESI) un outil Web d'extraction et d'analyse des données de sondage accessible gratuitement au grand public. Nous ne retiendrons que les résultats de sondages portant sur des enjeux ayant fait l'objet d'une décision gouvernementale.

FIABILITÉ DE LA COLLECTE DES DONNÉES

La méthode pour classer chaque observation dans une des trois catégories d'enjeux consistera dans un premier temps à établir un guide de codage définissant clairement chaque catégorie. Dans un deuxième temps, deux personnes coderont manuellement et indépendamment chaque observation dans une catégorie. À l'issue de cet exercice de codage, les résultats seront comparés, une mesure de fiabilité inter-codeurs sera calculée et les cas de désaccord entre codeurs seront réconciliés par un tiers. À la rigueur, si on ne peut faire appel à deux codeurs indépendants, la même personne procédera à deux codages successifs à un ou deux mois d'intervalle de manière à renforcer la fiabilité du codage. Dans la mesure du possible, les données de sondages et de décisions gouvernementales feront elles aussi l'objet d'un double codage.

TRAITEMENT DES DONNÉES

Après avoir isolé et daté tous les sondages portant sur des questions politiques pendant la période allant de l'élection fédérale de 2011 à celle de 2015, nous reporterons le pourcentage d'appui au changement de politique dans l'opinion sur chaque question. Nous associerons ensuite la direction majoritaire de l'opinion sur chaque question de sondage à la direction de la décision gouvernementale sur cette question. Nous pourrons ainsi déterminer le degré d'accord ou de désaccord entre chaque décision gouvernementale et chaque résultat de sondage.

Dans les cas où une même question de sondage a été répétée plusieurs fois durant la période 2011-2015, nous utiliserons la moyenne des résultats de chaque sondage pour éviter qu'une même question de sondage puisse être à la fois en accord et en désaccord avec une décision du gouvernement.

TESTS STATISTIQUES

Nous effectuerons une série de tests statistiques destinés à établir si les associations postulées entre la variable dépendante et les variables indépendantes sont statistiquement significatives ou si elles sont plutôt dues au hasard. Nous procéderons, en particulier, à des tests d'association (Chi-carré) et à des tests de régression.

CONCLUSIONS ANTICIPÉES

Les résultats d'analyse quantitative (test du Chi carré, pentes de régression, intervalles de confiance, coefficient de détermination) indiqueront dans quelle mesure le gouvernement de Stephen Harper a été réceptif à ce que pensait l'opinion canadienne entre 2011 et 2015. Ce projet de recherche étant en partie une réplication de recherches antérieures, il sera utile de comparer nos conclusions aux conclusions de ces recherches. Par exemple, il sera intéressant de comparer le degré de réceptivité de Stephen Harper et de Jean Chrétien à l'opinion publique. La comparaison de la fréquence d'accord entre les décisions gouvernementales et l'opinion publique permettra également de déterminer le rôle de l'opinion publique sur les décisions gouvernementales.

LIMITES DE L'ÉTUDE

Première limite : nous ne connaissons pas la direction majoritaire de l'opinion sur les nombreuses décisions gouvernementales sur lesquelles la population n'a pas été consultée par voie de sondages. Il y a ici un biais de sélection important qui peut affecter les résultats d'analyse (supposons, par exemple, que toutes les décisions pour lesquelles nous n'avons pas de résultats de sondage vont dans la direction opposée à l'opinion publique).

Deuxième limite : même si notre cadre opératoire respecte la règle selon laquelle les données de sondages précèdent chronologiquement les décisions gouvernementales, cela ne garantit pas que l'opinion publique précède et influence les décisions gouvernementales. Une façon d'aborder le problème de temporalité et donc de causalité serait d'analyser si les changements dans l'opinion publique précèdent des changements dans la même direction dans les décisions gouvernementales. La manière la plus simple de procéder à une telle analyse serait de faire appel à l'étude détaillée de quelques cas particulièrement bien documentés.

LISTE DES OUVRAGES CITÉS

BOURDIEU, Pierre (1973), « L'opinion publique n'existe pas », *Les Temps Modernes*, 29e année, no 318, p. 1292-1309.

GALLUP, George Horace et Saul Forbes RAE (1940), *The Pulse of Democracy. The Public-Opinion Poll and How It Works*, New York, Simon and Schuster.

GEER, John (1996), *From Tea Leaves to Opinion Polls : A Theory of Democratic Leadership*, New York, Columbia University Press.

GINSBERG, Benjamin (1986), *The Captive Public : How Mass Opinion Promotes State Power*, New York, Basic Books.

MONROE, Alan (1998), « Public Opinion and Public Policy, 1980-1993 », *Public Opinion Quarterly* 62, p. 6-28.

PAGE, Benjamin I. et Robert Y. SHAPIRO (1983), « Effects of Public Opinion on Policy », *American Political Science Review* 77, p. 175-190.

PAGE, Benjamin I. et Robert Y. SHAPIRO (1992), *The Rational Public: Fifty Years of Trends in Americans' Policy Preferences*, Chicago, The University of Chicago Press.

SOROKA, Stuart N. (2002), *Agenda-Setting Dynamics in Canada*, Vancouver, UBC Press.

SOROKA, Stuart N. et Christopher WLEZIEN (2004), « Opinion Representation and Policy Feedback : Canada in Comparative Perspective », *Revue canadienne de science politique* 37, p. 531-560.

STIMSON, James (1991), *Public Opinion in America. Moods, Cycles and Swings*, Boulder, Westview Press.

Bibliographie

Note : cette bibliographie place par ordre alphabétique tous les ouvrages cités dans les listes à la fin de chaque chapitre. Elle n'inclut pas les ouvrages cités dans les illustrations.

BERELSON, Bernard (1952), *Content Analysis and Communication Research*, New York, Free Press.

BIBLIOTHÈQUE DE L'UNIVERSITÉ LAVAL (2010). Site Infosphère. [En ligne]. [https://www.bibl.ulaval.ca/infosphere/sciences/index.html].

BLAIS, André et Claire DURAND (2016), « Le sondage », dans Benoît Gauthier et Isabelle Bourgeois (sous la direction de), *Recherche sociale. De la problématique à la collecte des données*, 6e édition. Québec, Presses de l'Université du Québec, p. 455-502.

BOOTH, Wayne C., Gregory G. COLOMB et Joseph M. WILLIAMS (2008), *The Craft of Research*, Chicago et Londres, 3e édition. University of Chicago Press.

BOUMA, Gary D., Rod LING et Lori WILKINSON (2012), *The Research Process*, 2e édition, Don Mills, ON, Oxford University Press.

BRIANS, Craig L., Lars WILLNAT, Jarod B. MANHEIM et Richard C. RICH (2013), *Empirical Political Analysis, Research Methods in Political Science*, 8e édition, New-York, Routledge.

BURNHAM, Peter, Karin GILLAND LUTZ, Wyn GRANT et Zig LAYTON-HENRY (2008), *Research Methods in Politics*, 2e édition, Basingstoke et New York, Palgrave Macmillan.

BOURGEOIS, Isabelle, (2016), « La formulation de la problématique » dans Benoît Gauthier et Isabelle Bourgeois (sous la direction de), *Recherche sociale, de la problématique à la collecte des données*, 6e édition, Sillery, Presses de l'Université du Québec, p. 51-76.

CRÊTE, Jean (2016), « L'éthique en recherche sociale » dans Benoît Gauthier et Isabelle Bourgeois (sous la direction de), *Recherche sociale, de la problématique à la collecte des données*, 6e édition, Sillery, Presses de l'Université du Québec, p. 289-313.

CRÊTE, Jean et Louis M. IMBEAU (1994), *Comprendre et communiquer la science*, Québec, Les Presses de l'Université Laval.

DAIGNEAULT, Pierre-Marc et François PÉTRY (sous la direction de) (à paraître, 2017), *Les idées, le discours et les pratiques politiques au prisme de l'analyse des données textuelles*. Québec, Les Presses de l'Université Laval.

DÉPARTEMENT DE SCIENCE POLITIQUE (2005), Guide pour la *présentation des travaux écrits*, Québec, Université Laval, Département de science politique. [En ligne].[http://www.cms.fss.ulaval.ca/upload/pol/fichiers/guidetravaux2005.pdf]

DOWNS, Anthony (2013), *Une théorie économique de la démocratie*, Bruxelles, Éditions de l'Université de Bruxelles.

DUMEZ, Hervé (2011), «Qu'est-ce que la recherche qualitative?», *Le Libellio d'Aegis*, 7 (4), p. 47-58.

DURAND, Claire et André BLAIS (2016), «La mesure», dans Benoît Gauthier et Isabelle Bourgeois (sous la direction de), *Recherche sociale. De la problématique à la collecte des données*, 6e édition. Québec, Presses de l'Université du Québec, p. 223-250.

EASTON, David (1974), *Analyse du système politique*, Paris, A. Colin.

FIRESTEIN, Stuart (2016), *Failure: why science is so successful*, New York, Oxford University Press.

FOX, William (1999), *Statistiques sociales*, traduit et adapté par Louis M. IMBEAU, Québec, Les Presses de l'Université Laval.

FRANKLIN, Marianne I. (2013), *Understanding Research. Coping with the Quantitative-Qualitative Divide*, Londres et New York, Routledge.

GAUTHIER, Benoît (2016), «La structure de la preuve», dans Benoît Gauthier et Isabelle Bourgeois (sous la direction de), *Recherche sociale. De la problématique à la collecte des données*, 6e édition, Québec, Presses de l'Université du Québec, p. 161-194.

GAUTHIER, Benoît (2016), «L'évaluation de la recherche par sondage», dans Benoît Gauthier et Isabelle Bourgeois (sous la direction de), *Recherche sociale. De la problématique à la collecte des données*, 6e édition. Québec, Presses de l'Université du Québec, p. 599-626.

GERRING, John (2012), *Social Science Methodology: A Criterial Framework*, 2e édition, Cambridge et New York, Cambridge University Press.

GIASSON, Thierry, Colette BRIN et Marie-Michèle SAUVAGEAU (2010), «La couverture médiatique des accommodements raisonnables dans la presse écrite québécoise: Vérification de l'hypothèse du tsunami médiatique», *Canadian Journal of Communication* vol. 35 (3), p. 431-435.

GIDENGIL, Elisabeth et Brenda O'NEIL, (sous la direction de) (2006), *Gender and Social Capital*, New York, Routledge.

GINGRAS, Anne-Marie (2012), « Enquête sur le rapport des journalistes à la démocratie : le rôle des médiateurs en question », *Revue canadienne de science politique* 45 (3), p. 685-710.

GINGRAS, François-Pierre et Catherine CÔTÉ (2016), « La théorie et le sens de la recherche » dans Benoît Gauthier et Isabelle Bourgeois (sous la direction de), *Recherche sociale, de la problématique à la collecte des données*, 6ᵉ édition, Sillery, Presses de l'Université du Québec, p. 103-127.

GUAY, Jean-Herman (2013), *Statistiques en sciences sociales avec R*, Québec, Les Presses de l'Université Laval.

JANIS, Irving L. (1982). *Groupthink : psychological studies of policy decisions and fiascoes*. Boston, Houghton Mifflin.

KERLINGER, Fred N. et Howard B. LEE (2000), *Foundations of Behavioral Research*, 4ᵉ édition, Fort Worth, Woodworth Publishing Company.

LAURENS, Sylvain (2007), « "Pourquoi " et "comment " poser les questions qui fâchent ? Réflexions sur les dilemmes récurrents que posent les entretiens avec des "imposants "», *Genèses*, n° 69, p. 112-127.

LEMIEUX, Vincent et François PÉTRY (2010), *Les sondages et la démocratie*, Québec, Les Presse de l'Université Laval.

LERAY, Christian et Isabelle BOURGEOIS (2016), « L'analyse de contenu », dans Benoît Gauthier et Isabelle Bourgeois (sous la direction de), *Recherche sociale. De la problématique à la collecte des données*, 6ᵉ édition, Québec, Presses de l'Université du Québec, p. 427-454.

LOUBET DEL BAYLE, Jean-Louis (2000), *Initiation aux méthodes des sciences sociales*, Paris, L'Harmattan.

LUKER, Kristin (2008), *Salsa Dancing into the Social Sciences. Research in an Age of Info-glut*, Cambridge (MA.), Harvard University Press.

MARTINEAU, Stéphane (2016), « L'observation directe », dans Benoît Gauthier et Isabelle Bourgeois (sous la direction de), *Recherche sociale. De la problématique à la collecte des données*, 6ᵉ édition, Québec, Presses de l'Université du Québec, p. 315-336.

MERTON, Robert K. (1998), *Éléments de théorie et de méthode sociologique*. Paris, Armand Colin.

MILES, Matthew B., A. Michael HUBERMAN et Johnny SALDAÑA (2014), *Qualitative Data Analysis, A Methods Sourcebook*, 3ᵉ édition, Thousand Oaks, Sage.

MOORE, Barrington (1969), *Les origines sociales de la dictature et de la démocratie*, Paris, F. Maspéro, 1969.

MUCCHIELLI, Alex (2009), *Dictionnaire des méthodes qualitatives en sciences humaines et sociales*, 3ᵉ édition, Paris, Armand Colin.

NORGAARD, Asbjorn (2008), « Political Science : Witchcraft or Craftsmanship ? Standard for Good Research », *World Political Science Review*, 4 (1), p. 1-28.

OLSON, Mancur (1974), *La logique de l'action collective.* Paris, Presses Universitaires de France.

PÉTRY, François et François GÉLINEAU (2009), *Guide pratique d'introduction à la régression en sciences sociales,* 2ᵉ édition, Québec, Les Presses de l'Université Laval.

POPPER, Karl R. (1973), *La Logique de la découverte scientifique* (1935) tr. fr., Paris, Payot.

ROY, Simon N. (2016), «L'étude de cas», dans Benoît Gauthier et Isabelle Bourgeois (sous la direction de), *Recherche sociale. De la problématique à la collecte des données,* 6ᵉ édition, Québec, Presses de l'Université du Québec, p. 195-221.

SARTORI, Giovani, Fred W. RIGGS et Henry TEUNE (1975), *Tower of Babel. On the Definition and Analysis of Concepts in the Social Sciences,* s. l., International Studies Association.

SAVOIE-ZAJC, Lorraine (2016), «L'entrevue semi-dirigée», dans Benoît Gauthier et Isabelle Bourgeois (sous la direction de), *Recherche sociale. De la problématique à la collecte des données,* 6ᵉ édition. Québec, Presses de l'Université du Québec, p. 337-363.

SÉGUIN, Catherine (2016), «La recension des écrits et la recherche documentaire» dans Benoît Gauthier et Isabelle Bourgeois (sous la direction de), *Recherche sociale, de la problématique à la collecte des données,* 6ᵉ édition, Québec, Presses de l'Université du Québec, p. 77-101.

SKOCPOL, Theda (1979), *States and Social Revolutions: A Comparative Analysis of France, Russia and China,* Cambridge, Cambridge University Press.

TRUMAN, David (1951), *The governmental process: political interests and public opinion,* New York, Alfred Knopf.

UNIVERSITY OF CHICAGO PRESS STAFF (2010), *The Chicago Manuel of Style,* 16ᵉ édition, Chicago, University of Chicago Press.

VAN CAMPENHOUDT, Luc et Raymond QUIVY (2011), *Manuel de recherche en sciences sociales,* 4ᵉ édition revue et augmentée, Paris, Dunod.

WESELBY, Joanne M. (2014), *Citations Made Simple: A Student's Guide to Easy Referencing: The Complete Guide,* vol. 7, s. l., Amazon, édition Kindle.

YIN, Robert K. (2014), *Case Study Research: Design and Methods,* 5ᵉ édition, Newbury Park, Sage Publications.

Liste des principaux termes utilisés

MARQUIS

Québec, Canada

RECYCLÉ
Papier fait à partir
de matériaux recyclés
FSC® C103567

Imprimé sur du Rolland Enviro,
contenant 100% de fibres postconsommation,
fabriqué à partir d'énergie biogaz et certifié FSC®,
ÉCOLOGO, Procédé sans chlore et Garant des forêts intactes.

PERMANENT

100%

Garant
des forêts
intactes^{MC}